Grijs gebied

Dit boek wordt u aangeboden door uw boekverkoper
ter gelegenheid van Juni – Maand van het
Spannende Boek 2015.

Marion Pauw

Grijs gebied

Stichting Collectieve
Propaganda van het
Nederlandse Boek

Grijs gebied is door Ambo|Anthos *uitgevers* geproduceerd voor de Stichting Collectieve Propaganda van het Nederlandse Boek ter gelegenheid van Juni – Maand van het Spannende Boek 2015.

Dit boek is gedrukt op 100% chloorvrij geproduceerd papier.

ISBN 978 90 596 5282 8
NUR 330

Omslagontwerp Roald Triebels, Amsterdam
Omslagillustratie © H. Reinhard / Corbis / Hollandse Hoogte
Foto auteur © Leonie Broekstra

www.marionpauw.nl
www.amboanthos.nl
www.maandvanhetspannendeboek.nl

Voor mijn reddende engelen Rudolph en Karl
'Als er een lijk in je tuin ligt, dan komen wij ook.'

Vanuit een raam ergens in het midden, op tweehoog, vulde de lucht zich met kleur. Groene, gele, blauwe en paarse vlekjes die samen een bonte mengeling vormden.

Het duurde even voordat Albert doorhad wat hij zag: tientallen felgekleurde vogels die naar buiten kwamen gevlogen, als in een Alfred Hitchcock-film. Luid krijsend bleven ze ter hoogte van het raam ronddfladderen, alsof ze er nog niet aan toe waren om afscheid te nemen. Opeens schoten ze met z'n allen in een schuine lijn naar boven. Gefixeerd bleef Albert naar de vogels staren, bevroren in het moment. Pas toen ze achter de volgende flat waren verdwenen, besefte hij dat hij al die tijd was vergeten te ademen.

1

Ze had hem zien staan nota bene. Ze had recht in zijn gezicht gekeken, en toch zou ze zich later niet herinneren hoe hij eruitzag. Het enige wat ze nog wist was dat hij oude bergschoenen had gedragen. Leeftijd, huidskleur, haar, ogen, lengte, niets wat ook maar enigszins bruikbaar was voor het signalement was haar bijgebleven.

Ze was hem voorbij gefietst op het Mercatorplein. Het was halftwee 's nachts op een dinsdag, ze kwam van het cafeetje in de binnenstad waar ze achter de bar werkte. Toen Naomi pas in Amsterdam was komen wonen, net buiten de ring in Slotermeer – 'het getto' noemde ze het zelf –, was ze heel voorzichtig geweest. Ze fietste nooit alleen in het donker onder het viaduct door, zorgde er altijd voor dat ze met anderen was, of ze bleef slapen bij iemand binnen de ring. Een jaar later, een jaar waarin niets was gebeurd en ze een algemeen vertrouwen in de hoofdstedelijke mens had opgebouwd, fietste ze waar ze maar wilde, wanneer ze maar wilde.

Toen ze die nacht over het Mercatorplein fietste, lichtelijk aangeschoten van de drie biertjes die ze na afloop van haar werk had gedronken, werd haar aandacht naar de man getrokken. Hij stond haar roerloos aan te kijken. Ze was gewend dat mannen naar haar keken. Altijd en overal voelde ze hun hebberige ogen, of ze nou aan het werk was in het café, over straat liep of bij haar oma op bezoek ging. Meestal lachte ze ze uit of haalde ze haar schouders op. Maar iets in de blik van deze man gaf haar de zenuwen. Ze zou later verklaren dat ze een nare energie van hem voelde uitgaan. Een kille haat, zei ze na er wat langer over nagedacht te hebben. Ze had meteen weggekeken. Geen aandacht geven. Er had een taxi gestaan, de snackbar was nog open. Ze dacht: als er iets gebeurt, zijn er mensen om me te helpen.

Even later had ze de man al uit haar hoofd gezet en gingen haar gedachten naar andere, vrolijker zaken, zoals Jasper, de jongen met wie ze samenwerkte en die haar duidelijk wel zag zitten. Hij had nog aangeboden haar naar huis te brengen, maar ze had nee gezegd, omdat ze niet te gretig wilde overkomen. Nooit te snel toehappen, het jachtinstinct een tijdje blijven aanwakkeren. Ze was een meisje dat niet alleen dat soort dingen wist, maar ook de beheersing had om ze met succes toe te passen.

Met Jasper in haar gedachten en benen die als vanzelf de trappers lieten ronddraaien, naderde ze het viaduct.

De volgende gebeurtenissen vonden plaats in een tijdsbestek van enkele minuten, en toch zou ze zich iedere handeling en haar eigen reactie daarop tot in detail herinneren.

Ze voelde hoe haar knotje van achteren werd vastgepakt. Een hand als een klauw die zich ingroef in haar lange donkere haar. Ze draaide haar gezicht naar hem toe en herkende de man van het Mercatorplein. Ze wilde gillen, maar in plaats daarvan bleef ze hem even verwonderd aankijken.

Nadat hij zijn fiets onder zich uit geschopt had, stompte hij haar hard in haar gezicht. Ze dacht aan haar tanden, haar mooie, egale gebit waar nooit een beugel tegenaan had gehoeven en waar geen enkel gaatje in zat.

Ze herinnerde zich geen pijn. Wel dat ze van haar fiets viel, op de grond terechtkwam en dacht: dit gaat helemaal fout. Ze had vaak genoeg gelezen over verkrachtingen, moorden, psychopaten die vanuit het niets een argeloze passant aanvielen, maar nooit had ze willen geloven dat dit soort dingen écht gebeurden. En nog steeds, terwijl ze op de grond lag, vroeg ze zich af of er geen mogelijkheid was om de werkelijkheid terug te draaien.

Ze probeerde overeind te komen. Maar nog voordat ze had kunnen bewegen, raakte zijn afgetrapte bergschoen haar vol in het gezicht. Ze proefde een mengsel van modder en bloed.

Ze probeerde zich met haar handen te beschermen, maar zijn voet was eerder. Ze hoorde het knisperende geluid van brekend kraakbeen. De banale metafoor van een zak chips die in haar hoofd werd fijngeknepen schoot haar te binnen.

Ze moest schreeuwen. Ze herinnerde zich dat haar moeder dat ooit tegen haar had gezegd: 'Als je wordt aangevallen, maak dan zoveel mogelijk lawaai.'

Ze opende haar mond en hoorde haar eigen stem. Rauw, minder krachtig dan ze zou willen. In noodsituaties kun je beter 'brand' roepen dan 'help'. Dat had ze ergens gelezen. Maar ze was niet in staat om woorden te vormen. Bovendien zou het belachelijk zijn om nu 'brand' te roepen. Dus bleef ze dat rare geluid produceren dat ergens diep van binnenuit kwam.

Weer trapte hij haar in het gezicht. Daarna leek hij te aarzelen. 'Sorry,' zei hij.

Sorry.

Hij deed een stap naar achteren. Ze dacht even dat hij tot bezinning was gekomen. Door haar oogharen zag ze hem staan, met een lege blik in zijn ogen. Ze aarzelde of ze overeind zou komen.

Maar toen hoorde ze zijn ademhaling versnellen, lucht die woedend naar binnen werd gesnoven, terwijl zij hem nooit iets had aangedaan. Zijn voet raakte haar weer in het gezicht. Zou hij zich realiseren dat ik een mens ben? vroeg Naomi zich af.

Hij bleef haar in het gezicht trappen, op volle kracht, zonder ook maar een seconde in te houden. Ze voelde geen pijn, alhoewel ze wist dat ze dat wel zou moeten voelen. In haar hoofd maakte ze een prognose: hij trapt me nu bewusteloos, sleept me straks mee naar het donkere deel onder dit viaduct en zal me daar verkrachten.

Hij trapte zo hard tegen haar slaap dat haar hoofd opzij klapte. Ze zag een lichtflits. Daarna ging het beeld voor haar ogen van een gruizig donkergrijs over naar zwart.

Even was er niets. Het volgende moment zag ze zichzelf op de grond liggen: haar knotje inmiddels losgesprongen, haar gezicht onherkenbaar door zwelling en bloed.

Ze was nu ook niet meer in staat om geluid te maken. Hulpeloos zweefde ze om haar slappe lichaam heen, maar er was niets meer wat ze kon doen.

De man greep haar lange haar beet, het haar waar haar vriendinnen altijd zo jaloers op waren geweest en sleepte haar als een pop over de grond.

In de duistere diepte onder het viaduct vlijde hij haar neer op de smerige grond, ritste met een bijna teder gebaar haar jack open en schoof haar T-shirt omhoog. Ze droeg zelden een beha, omdat ze kleine borsten had. Hij kneep er zachtjes in, liet zijn vingers over haar tepels gaan. Teder bijna. Alsof hij nu haar minnaar was.

Ze bleef toekijken vanuit haar dubbellichaam. Voelde geen angst, geen woede, eerder was er sprake van een melancholisch weten dat als ze dit zou overleven, ze nooit meer dezelfde zou zijn.

2

Vaak was Albert te moe om te slapen. Dan zat hij 's nachts op zijn balkon op de eerste verdieping, staarde over de weg die onder het viaduct doorliep en rookte een sigaret. En daarna rookte hij er nog een.

Pas tegen drieën, als hij zijn sigaret tussen zijn vingers voelde wegglippen, ging hij naar bed, waar zijn vrouw Ans altijd even wakker werd om te klagen over zijn gestommel en de doordringende nicotinelucht die om hem heen hing.

Er waren ook nachten waarin het slapen wel lukte. Dan ging hij tegelijkertijd met Ans in bed liggen, deed zijn ogen dicht en viel zonder erbij na te denken in slaap. Dat was het lullige. Hij kón het wel. Alleen wanneer hij zich uitgeput voelde, wilde het slapen niet lukken. Het was zoals alles in zijn leven: juist wanneer hij het het hardst nodig had, kreeg hij het niet.

Ooit was alles anders geweest. Toen had hij een goede baan als vertegenwoordiger in kantoorartikelen, maakte hij plannen voor de toekomst, dacht hij dat het leven maakbaar was. Hij zou zich opwerken tot regiomanager, daarna manager van de provincie, en daarna het hele land. Ook toen was alles begonnen met slecht slapen. Eerst af en toe een moeizame nacht, daarna lag hij steevast tot vier uur te woelen, zodat hij doodmoe op zijn werk aankwam. Hij begon fouten te maken, reageerde niet meer scherp op klanten, snauwde de binnendienst af. Volgens zijn baas moest hij eens nadenken over de vraag of dit werk wel echt bij hem paste. Of hij niet beter af was in een minder stressvolle positie. Hij voelde hoe alles uit zijn handen begon te glippen en werd als reactie daarop nog gespannener, zodat hij helemaal geen oog meer dichtdeed.

Op een dag was hij de A2 op gereden en was het moment gekomen dat hij al die tijd had voelen naderen. Hij wist niet meer waar hij was, waar hij naartoe ging en waar hij vandaan kwam. Hij had het idee dat hij niet meer scherp kon zien. Zijn hart klopte paniekerig in zijn borst.

Hij was steeds langzamer gaan rijden, eerst op de rechterrijbaan, daarna op de vluchtstrook. Vervolgens had hij de auto stilgezet en zijn hoofd op het stuur gelegd. Net zolang totdat agenten hem aanhielden en hem naar huis brachten.

Nadat hij vier maanden wezenloos op de bank had gezeten, gaf het bedrijf waar hij al twintig jaar werkte aan dat het niet de bedoeling was dat hij terug zou komen. Hij liet zich ontslaan. Een schoolvriend van vroeger bracht hem op het idee om buschauffeur te worden. Als buschauffeur hoefde hij immers alleen maar een vaste route te volgen en zou hij nooit meer thuis over zijn werk hoeven nadenken. De twee maanden salaris die hij had meegekregen bij zijn ontslag waren al snel op en hij zou kunnen beginnen zodra hij zijn groot rijbewijs had gehaald.

Gelukkig had Ans nergens moeilijk over gedaan. Niet toen zijn salaris werd gehalveerd, niet toen ze van hun doorzonwoning naar deze flat moesten verhuizen. Hij had zijn dromen van een groter huis, overwinteren in Spanje en misschien ooit een motor laten varen en dacht dat het goed was zo. Maar de laatste paar maanden was het toxische gevoel van vroeger teruggekomen. Het was aan het woekeren in zijn lichaam. Hij voelde het rondsluipen in zijn hoofd. Hij voelde het op hem loeren, wachtend op een zwak moment.

Nog twee jaar en dan kon hij met pensioen. De truc was om het tot die tijd vol te houden. Daarna zou niemand meer iets van hem willen en had hij rust.

Sinds kort reed hij op lijn 69. Een klotelijn, alleen al omdat er iedere dag minstens tien (altijd penopausale mannelijke) passagiers een dubbelzinnige opmerking meenden te moeten maken over het cijfer 69. 'Ik hoef jou zeker niet te vragen wat je favoriete standje is,' of: 'Lekker hoor, in de soixante-neuf.' In het begin had hij nog plichtmatig gelachen. Nu moest hij zich inhouden om de lolbroeken niet op hun bek te slaan.

Iedere route trok een eigen mix van passagiers aan. Lijn 69 stopte vlak bij het Antoni van Leeuwenhoek-ziekenhuis: moedeloze of, nog erger, hoopvolle mensen. Vervolgens had je de aso's van Osdorp. De toeristen van en naar Schiphol, met te veel bagage. De *weirdo's*. Overspannen verpleegsters. Arrogante klootzakken die zonder ook maar iets te zeggen geld voor hem neerkwakten. En die, als hij hun dan hun kaartje gaf en nadrukkelijk 'alstublieft' zei, nog steeds niet de moeite namen om iets terug te zeggen. In het begin had hij weleens overwogen om een briefje op te hangen met 'het kost u niks om aardig te doen tegen de chauffeur', maar inmiddels had hij besloten dat iedereen de tering kon krijgen.

De enigen die hem er nog doorheen sleepten, waren de stewardessen. Als hij 's avonds op zijn balkon zat, dacht hij vaak nog even aan hen. Hoe ze professioneel glimlachten, keurig ABN praatten en hem aanspraken met 'meneer'. Hoe ze hem bedankten als hij hen erop wees dat ze waren vergeten in te checken. Hoe ze hem een prettige dag toewensten bij het uitstappen. Hoe ze hem soms heel even het gevoel gaven dat hij nog best aantrekkelijk was.

Hiervóór had hij op de 174 naar Mijdrecht gezeten en voornamelijk scholieren vervoerd. Laten we wel wezen, die waren óók irritant. Denk maar niet dat zij ooit contact maakten, behalve dan om te klagen als de bus vertraging had. Amper zestien jaar oud en ze voelden zich nu al ver boven hem verheven. Maar hen had hij makkelijk kunnen negeren.

Die avond zat hij op zijn balkon op de eerste verdieping. Hij luisterde naar de voorbijrazende auto's, die ondanks het geluidscherm dat een paar jaar geleden was geplaatst nog goed hoorbaar waren. Hij stak een Lucky Strike op en inhaleerde diep. Dacht aan niets in het bijzonder. Keek uit over het fietspad. Zag in de verte een licht naderen. En niet zo heel ver erachter nog een. Hij dacht weer aan niets in het bijzonder. Nam een trekje van zijn sigaret. Was zich bewust van zijn amechtige ademhaling en dacht: ik zou echt beter op mijn gezondheid moeten letten. Stoppen met roken, gaan sporten. Maar terwijl hij het dacht wist hij al dat hij het toch nooit zou doen.

Hij schrok op omdat hij geschreeuw hoorde. Het geluid was zo rauw en indringend dat hij niet kon uitmaken of het afkomstig was van een man of een vrouw.

Stelletje kloterige herriemakers, dacht hij. Even voelde hij voldoening omdat hij niet sliep, zodat hij ook niet door het lawaai gewekt kon worden.

Het geschreeuw bleef maar doorgaan. Albert ging staan om te kunnen bepalen waar het geluid vandaan kwam. Na een tijdje waren zijn ogen gewend aan het donker en meende hij onder het viaduct een gedaante op de grond te zien liggen. Een man van gemiddelde lengte, mager en met onverzorgd, lichtgekleurd haar trapte erop in. Even verderop lagen twee fietsen te glanzen in het licht van de lantaarn.

De man zou hem kunnen zien, bedacht Albert, en hij ging snel weer op zijn stoel zitten. Dat was wel het laatste wat hij erbij kon hebben, een of andere junk die wist waar hij woonde. Als hij in al die jaren als buschauffeur één ding had geleerd, was het wel dat je ervoor moest zorgen dat ze er nooit achter kwamen waar je huis was. Of dat ze überhaupt iets over je wisten. Daarom had hij ook geen Facebook.

Het geschreeuw nam af. Er waren tussenpozen waarin niets te horen was. Albert meende nu te weten dat het een vrouw was die het geluid produceerde.

Moest hij iets doen? Lawaai maken? Eropaf met een honkbalknuppel (die hij niet had)?

Op zijn werk was hij erop getraind om agressie af te wentelen en bij escalaties hulp in te roepen. Vooral niets zelf doen. Was dat ook niet waar die campagne van de overheid over ging? Als je geweld ziet op straat, deel dan drie tikken uit: bel 1-1-2.

Hij liep naar binnen om de telefoon te pakken. Toen hij terugkwam, stond de dader met zijn gezicht naar hem toe. Lichte ogen, voor zover Albert kon zien. Felle, lichte ogen waar geen enkele diepte in zat. Misschien had hij iets gehoord of beweging gezien, want hij keek nu schuin naar boven, naar het balkon. Recht in het gezicht van Albert.

Albert dook snel achter de balustrade. Hij dacht aan de twee jaar die hij nog te gaan had tot zijn pensioen. Hij dacht aan Ans, die toch al zo bangig was aangelegd en helemaal nu er steeds meer allochtonen in hun wijk waren komen wonen.

Hij toetste een '1' in.

Hij dacht aan de zwerver die hem drie jaar geleden had bedreigd, omdat Albert hem niet wilde toelaten in de bus. Hij dacht aan alle passagiers die nieuwsgierig vanachter het glas hadden zitten toekijken. Niemand die was opgestaan om hem te helpen. Niemand die naar hem toe was gekomen nadat de politie de man had afgevoerd. Trillend had hij de rest van de route afgelegd. Niemand die zich had afgevraagd of hij wel oké was.

Alberts vinger aarzelde boven de toetsen van zijn telefoon. Hij dacht aan een collega die een gebroken neus had opgelopen nadat een dronken Engelse toerist in de bus had geplast. Hij dacht aan een groep opgeschoten jongeren die altijd zwartreed, waar zelfs de controleurs niets van durfden te zeggen.

Later zou hij aan de politie verklaren dat het slachtoffer waarschijnlijk ontsnapt was in de tijd dat hij binnen was geweest. Het was immers stil, hij had niets meer gezien en de man was al snel in de duisternis van het viaduct verdwenen.

In werkelijkheid was hij lange tijd ineengedoken op het koude beton van het balkon blijven zitten, met verkrampte handen. Te laf om iets te doen.

3

In de verte kwam een fietser aan. Menno Jacobs, tweeëndertig jaar, docent lichamelijke oefening, was onderweg naar huis van een verjaardagsfeest van een vriend. Hij was langer blijven hangen dan gepland en zag nu al tegen de volgende ochtend op. Achteraf zou hij denken dat het een speling van het lot was geweest dat hij uitgerekend die dag was doorgezakt, terwijl hij het zelden zo laat maakte op een doordeweekse avond.

Zijn spatbord zat een beetje los – ook dat zou hij later toeschrijven aan een hogere macht – en maakte een vervelend schrapend geluid tegen zijn wiel. Omdat het al zo laat was en hij aardig wat had gedronken, was Menno gewoon doorgefietst, terwijl hij normaal gesproken iemand was die altijd eerst het mankement zou verhelpen.

De dader hoorde het geluid voordat hij de koplamp zag. Hij richtte zijn bovenlichaam op, luisterde gespannen en keek in de richting waar de fietser vandaan kwam. Die bevond zich op twintig meter afstand, schatte hij. Hij wist zeker dat de fietser hen niet zou kunnen zien, en hij wachtte in stilte af.

Ook Naomi hoorde het geluid. Het had in een afgelegen deel van haar hersenen weten door te dringen en baande zich langzaam een weg naar haar bewustzijn. Ze begon lichamelijke sensaties waar te nemen. Het beklemmende gewicht van de dader die boven op haar zat. De koele lucht die over haar bovenlichaam streek. Het warme bloed dat over haar gezicht stroomde. Een doffe pijn in haar gezicht. Vaag drong het tot haar door dat er een fiets naderde.

Een fiets. Met een fietser erop.

Menno Jacobs was nu op tien meter afstand. Hij vloekte nog een keer in zichzelf om zijn eigen onverantwoordelijkheid. Hij zou nog vier uur kunnen slapen, met een beetje geluk. En zo leuk was het feest niet eens geweest.

De dader keek gespannen naar de koplamp die steeds dichterbij kwam. Zijn hartslag was hoog, zijn mond voelde droog aan. Hij wist dat als deze seconden voorbij waren, het genot alleen maar groter zou zijn.

Naomi vocht zich terug haar lichaam in. Ze opende haar ogen en zag de koplamp op enkele meters afstand. Ze wist dat dit haar enige kans was.

Ze nam een grote hap lucht en stootte toen een rauwe kreet uit.

De dader keek op haar neer en besefte dat hij haar mond had moeten dichtdrukken. Meteen daarna keek hij naar de fiets die tot stilstand was gekomen.

'Is daar iemand?' klonk de stem van Menno.

De dader drukte nu wél zijn hand op haar mond, maar Naomi slaagde erin een gesmoord geluid te produceren.

Menno stond onder het viaduct. Half in het licht. Hij tuurde het donker in. 'Wat gebeurt daar?' vroeg hij. In zijn stem was de leraar hoorbaar.

De dader vloekte binnensmonds. Hij wist dat hij het had verknald. Het meisje probeerde zich onder hem uit te worstelen, terwijl ze geluid bleef maken. Hij dook voorover, pakte een van haar borsten met beide handen vast en beet hard in de tepel. De smaak van bloed. Een vlezig stukje in zijn mond. Het gaf hem een kort moment van voldoening. Daarna verdween hij, de nacht in.

Zodra Naomi verlost was van zijn gewicht, probeerde ze naar haar redder toe te kruipen. Ze probeerde woorden te vormen, maar haar gebroken kaak verhinderde dat.

'Wie is daar?' vroeg Menno weer. Hij tuurde in het duister onder het viaduct en overwoog zelfs om door te fietsen. Een junk, dacht hij. Straks word ik nog overvallen door een junk.

Naomi kroop op ellebogen en knieën naar hem toe met de laatste krachten die ze had. Centimeter voor centimeter. Ze hoopte vurig dat hij niet weg zou gaan, zodat de man terug kon komen en alles weer opnieuw zou beginnen. Toen ze bij hem was, liet ze zich voor zijn voeten vallen.

'Godverdomme,' was het enige wat hij kon uitbrengen, neerkijkend op het bebloede, halfnaakte lichaam. 'Godverdomme, wat is er met jou gebeurd?' Hij liet zich door zijn knieën zakken en deed een poging de schade op te nemen. 'Blijf stil liggen,' zei hij toen. 'Niet bewegen.' Hij haalde zijn telefoon tevoorschijn en belde 1-1-2.

Daarna trok hij zijn jack uit en legde dat over haar heen. Hij voelde zich wonderlijk rustig. Pas later, toen hij thuis onder de douche stond, zou hij over zijn hele lichaam beginnen te trillen en in huilen uitbarsten.

Hij streek een lok uit haar gezicht. 'Hoe heet je?'

Ze was alweer half weggezakt, reageerde nauwelijks meer.

'Probeer bij me te blijven,' zei hij. 'Hoe heet je?'

Ze opende haar mond en zei iets onverstaanbaars.

'Noemie?' vroeg hij. 'Nonie?'

Ze had de energie niet om het nog een keer te proberen.

'Aaah, Naomi,' begreep hij toen. 'Luister, Naomi, het komt allemaal goed. Blijf maar rustig liggen, ik ben bij je, de ambulance is onderweg.'

Ze wilde knikken, maar voelde dat er aan de andere kant weer aan haar werd getrokken.

Het laatste waarvan ze zich bewust was, was een andere man, een oudere man die opeens ook naast haar stond en met geëmotioneerde stem zei: 'Ik heb alles gezien.'

4

Albert was de enige die een signalement van de dader kon geven. Menno Jacobs was te gefocust geweest op het meisje om op te letten. Hij meende dat hij de man had horen weggaan, maar kon het zich niet duidelijk voor de geest halen.

Nadat Albert een korte omschrijving had gegeven van de dader (atletische bouw, onverzorgd uiterlijk, vreemde lichte ogen), had de politie voorgesteld om samen door de buurt te rijden om te kijken of de dader nog ergens rondliep.

Albert keek naar het meisje dat op de grond lag, omringd door ambulancepersoneel. Ondanks haar toestand kon hij zien dat ze jong en mooi was. Met lang haar dat als een waaier om haar hoofd heen lag. Ze hadden haar een zuurstofmasker opgezet. Naast haar zat nog steeds Menno Jacobs. Hij hield haar hand vast en praatte zachtjes tegen haar. Alsof ze geliefden waren. Albert voelde een steek van jaloezie door zich heen gaan, die hij meteen wegdrukte. Hij had daar moeten zitten. Hij had haar redder moeten zijn. Maar in plaats daarvan was hij weggedoken.

'Is er iets?' vroeg de rechercheur. Hij had zich aan Albert voorgesteld, maar Albert was zijn naam alweer vergeten. Het was zo'n streberig type van begin dertig met haar dat er geföhnd uitzag. Zo iemand die zichzelf en zijn werk uitermate serieus nam.

'Eh, nee.'

'Het leek of u ergens aan dacht.'

'Ja?' Albert vroeg zich af wat hij nu moest zeggen. Of hij iets moest zeggen.

'Waar dacht u aan?'

'Dat het heel erg is wat er met dat meisje is gebeurd. Vreselijk.' Er was iets kunstmatigs aan de manier waarop hij de woorden uitsprak, vond hij zelf.

'Gaat u mee dan?' De rechercheur gebaarde dat Albert voor hem uit moest lopen naar de politieauto die aan de weg geparkeerd stond.

Albert stapte in. De rechercheur startte de auto en reed in laag tempo onder het viaduct door. 'Kijk goed om u heen,' zei hij. 'Vaak blijven daders bij de plaats delict in de buurt hangen. Krijgen ze een kick van. Kunt u zich dat voorstellen?'

Albert zei dat hij dat niet kon.

'Het zou zelfs niet de eerste keer zijn dat een dader zich opwerpt als getuige.'

Albert zei niets terug en vroeg zich af of dit een beschuldiging was.

'Weet u of de man is weggevlucht op de fiets?' vroeg de rechercheur. 'Of was hij te voet?'

'Ik heb hem niet weg zien gaan.'

'Maar u kon toch alles zien vanaf uw balkon?'

'Alleen het eerste stukje.'

'Maar hij kwam wel aan op de fiets?'

'Ja,' zei Albert. 'Tenminste, ik zag twee fietsen liggen in het licht van de lantaarn. Dus ik zou denken van wel.' Zijn stem klonk steeds onzekerder.

De rechercheur pakte zijn portofoon. 'Jongens, hebben wij

een fiets gevonden onder het viaduct?' Het was even stil, afgezien van een krakend geluid. Toen klonk het: 'Ja, er ligt hier een damesfiets. En een herenfiets.'

'Is er nog een extra fiets?'

Weer een pauze. Toen: 'Nee. Alleen deze twee.'

'Was Menno Jacobs op de fiets?' vroeg de rechercheur.

Het was even stil. Toen kwam het antwoord: 'Ja.'

'Dus we hebben de fiets van het slachtoffer en de fiets van de heer Jacobs. Verder niks?'

Gekraak. En toen: 'Nee.'

De rechercheur keek bedenkelijk. Hij drukte het gesprek weg. 'Probeert u eens met mij mee te denken. Wat zou u doen als u de dader was?' vroeg hij aan Albert.

'Weet ik veel.'

'Kunt u niet even uw fantasie gebruiken? Stelt u zich eens voor dat u dat meisje had aangevallen en u was betrapt. Wat zou u doen? Waar zou u naartoe gaan? Waar zou u zich verstoppen?'

'Geen idee.'

'Kom op, denk eens na.' De rechercheur remde af bij een vuilniscontainer en liet zijn zaklantaarn er even overheen glijden. Het nut hiervan ontging Albert volkomen.

'Naar een plek waar ze me niet zouden kunnen vinden?' zei Albert maar.

'Precies,' zei de rechercheur. Hij keek Albert aan alsof hij iets zeer belangwekkends had gezegd. 'En waar zou dat zijn, denkt u?'

Albert dacht even na. 'De volkstuinen verderop?'

'Precies!' zei de rechercheur. 'Dat lijkt me een uitstekend idee.'

Ze kwamen aan bij het volkstuinencomplex. Albert was er weleens bij een collega op bezoek geweest. Hele dagen zat de man in de aarde te wroeten, om uiteindelijk drie bossen wortels en een kilo sperziebonen te kunnen oogsten. Ans was er ook weleens over begonnen, over zo'n volkstuin. Niet om groente te verbouwen, maar gewoon om buiten te kunnen zitten. Zoals hij al had gehoopt, was ze er vrij snel weer over opgehouden.

De rechercheur parkeerde zijn auto bij de ingang. Nadat ze waren uitgestapt, knipte hij zijn zaklantaarn weer aan. Onder het lopen scheen hij ermee in de heggen, door de ruiten van de houten huisjes en tussen de rijen keurig aangeplante groenten. Albert hobbelde een beetje lullig achter hem aan.

'Als we hem vinden, vraag ik om assistentie,' zei de rechercheur. 'Vooral geen rare dingen doen. Misschien is hij gewapend.'

'Dat geloof ik niet.'

'Hoe bedoelt u? Wat heeft u gezien dan?'

Albert had spijt dat hij iets had gezegd. 'Hij trapte op haar in. Waarom zou hij dat doen als hij een wapen bij zich had?'

Weer die scherpe ogen die hem onderzoekend aanstaarden. 'Dus u denkt dat hij geen wapen bij zich had,' zei de rechercheur.

Albert haalde zijn schouders op.

De rechercheur bleef voor een tuinhuisje staan en scheen door het raam naar binnen. 'Officieel mag je hier niet overnachten, maar je zou de mensen de kost moeten geven die dat wel doen. Er wordt hier zelfs illegaal gewoond.'

Albert bleef achter hem staan en keek om zich heen. Hij probeerde structuur aan te brengen in zijn warrige gedachten. Het was allemaal zo snel gegaan. En zo onverwacht. Als hij zich er van tevoren op had kunnen instellen, had hij heel anders kunnen reageren. Had hij kunnen ingrijpen. De dader zelfs te pakken kunnen nemen. Hij wenste dat hij de gebeurtenissen terug kon draaien, zodat hij alles anders zou kunnen doen.

Onwillekeurig dacht hij aan iets wat zijn vader weleens had gezegd: 'In vredestijd zijn wij allemaal helden.' Alberts vader had écht in het verzet gezeten. Hij verachtte de mensen die zich de hele oorlog koest hadden gehouden, om na de bevrijding een blauwe overall aan te trekken en een oranje lint om hun arm te knopen. Albert had hem er vaak genoeg over tekeer horen gaan.

Of wat te denken van een meer eigentijds fenomeen als pesten? Je kon de televisie niet aanzetten of het ging erover. Blijkbaar was iedereen gepest en degenen die dat niet waren, beweerden dat ze juist voor de gepeste kinderen waren opgekomen. Het klopte alleen al statistisch gezien niet. Waar waren alle pestkoppen gebleven? Waren ze zich er überhaupt wel van bewust wat ze anderen hadden aangedaan? Of zaten ze hoofdschuddend voor de televisie naar Arie Boomsma-programma's te kijken en zeiden ze tegen elkaar: 'Wat vreselijk, hè?'

'Misschien kunt u nog eens goed nadenken of u nog wat te binnen schiet,' zei de rechercheur. Weer zo'n doordringende blik, bijna alsof hij hem voor de spiegel had geoefend. 'We hebben uw hulp hard nodig.'

'Sorry,' zei Albert.

Nadat Albert nog anderhalf uur met de rechercheur had rondgelopen over het volkstuinencomplex, ging hij naar huis. Het was inmiddels halfzes in de ochtend. Om halfacht moest hij weer aantreden op het werk. Te laat om nog te gaan slapen.

Hij zette een kop koffie, ging maar weer op het balkon zitten en staarde uit over het fietspad. Onder het viaduct waren inmiddels bouwlampen geplaatst en zochten politieagenten naar sporen. Tegelijkertijd floten de eerste vogels al alsof er nooit iets was gebeurd. Nog even en het werd licht. Hij vroeg zich af hoe het met het meisje zou gaan. Zou ze zwaargewond zijn? Zou ze het überhaupt overleven? Hij dacht aan haar gezicht. Ogen als paarse doppen, opgezwollen kaken, overal bloed.

Toen hij het kopje aan zijn mond zette, merkte hij dat zijn handen trilden. Hij nam een slok koffie en stak toen maar een sigaret op.

'Verdomme,' zei hij een paar keer voor zich uit. 'Verdomme.'

'Albert?'

Ans was achter hem komen staan. Ze had een lange nachtjapon aangetrokken waar haar borsten losjes in bungelden, en keek hem verwijtend aan. 'Zit je nou nog hier? Ik word helemaal gek van dat gedoe van jou 's nachts. Waarom ga je niet gewoon slapen, zoals normale mensen? Vind je het gek dat je zo chagrijnig bent overdag en dat het je allemaal te veel is? Als ik niet slaap is er met mij ook geen land te bezeilen, met niemand niet trouwens. De mens is gemaakt op minimaal zeven uur slaap, maar jij denkt dat je het wel met drie of vier uur afkan. Nou, dat is dus je reinste onzin.' Toen zag ze de agenten lopen. 'Wat is daar nou aan de hand?'

Albert vertelde haar over de gebeurtenissen van de afgelopen nacht.

'O,' zei Ans. 'Nou, lekker is dat. Wel een beetje dom van dat meisje, als ik het mag zeggen. Iedereen weet toch dat je daar niet 's nachts moet fietsen? En helemaal niet als meisje alleen. En dan die strakke broekjes die ze tegenwoordig allemaal dragen... Dat is toch een beetje vragen om problemen. Het verbaast me eerlijk gezegd dat er niet al veel eerder iets is gebeurd. Ze hadden daar al lang iets moeten doen. Betere verlichting of voor mijn part dat hele ding 's nachts afsluiten, want het is niets dan ellende daar. Ik zei je toch dat er laatst twee junkies aan het schreeuwen waren? Op klaarlichte dag nota bene. Alsof ze levend gevild werden, niet normaal gewoon.'

Albert drukte zijn sigaret uit en stak meteen een nieuwe op.

'Heeft-ie haar verkracht?' vroeg Ans. 'Want daar zijn ze meestal op uit, hè? Ik zag er laatst op televisie een programma over. Het schijnt niet eens om het klaarkomen te gaan, wist je dat? De meeste verkrachters krijgen geeneens een zaadlozing. Pas later gaan ze masturberen en aan de verkrachting terugdenken en daar schijnt het om te doen te zijn. Kijk gewoon porno, denk ik dan. Er is toch genoeg te vinden op internet aan vuiligheid.'

'Ze had haar broek nog aan, wat ik ervan zag.'

'Heeft ze nog mazzel gehad,' zei Ans. 'Ik zou niet graag in haar schoenen staan, zo'n arm meisje, getraumatiseerd voor het leven. Die kan nooit meer alleen zijn, d'r hele leven niet. Ze zal altijd schrikken als iemand haar van achteren vastpakt, en de lol van het uitgaan zal er ook wel vanaf zijn. Nou, hou eens op met dat gerook en kom naar bed.'

'Laat me nou even, mens,' zei Albert.

Ans draaide zich verongelijkt om en liep terug naar de slaapkamer.

5

Naomi wilde niet meer wakker worden. Ze wist dat zodra ze wakker werd ze de pijn zou voelen en zou denken aan wat er was gebeurd. Liever bleef ze in dit grijze gebied hangen. Een twilightzone waar alles zwaar gedempt en traag binnenkwam.

Ze was zich af en toe bewust van haar ouders die aan weerszijden van haar bed zaten. Allebei hielden ze een van haar handen vast. Af en toe knepen ze en dan kneep ze terug. En haar moeder zei een keer in haar oor: 'Papa en mama zijn bij je, Naomi. Je bent veilig nu.'

Ze hoorde aan haar moeders stem dat ze zeer emotioneel was.

Nog een reden om niet bij bewustzijn te komen: alle emoties die als raketten op haar af zouden komen. Niet alleen die van haarzelf, maar ook die van haar ouders. Ook wist ze dat de politie een verhoor zou willen afnemen.

Vlak voordat ze de ambulance in geschoven werd, waren ze al begonnen met het stellen van de eerste vragen. Of ze de man had gekend, hoe hij eruit had gezien, welke richting hij op was gevlucht. Ze had geprobeerd de vragen te beantwoorden, maar ze was niet in staat geweest om woorden te vormen.

Er zat verband om haar hoofd en ze voelde hechtpleisters zitten. Ook daar wilde ze nog niet aan denken: hoe het met haar gezicht gesteld zou zijn. Of het ooit weer normaal zou worden. Naomi wist dat ze meteen dezelfde nacht al geopereerd was. Ze hadden haar uitgelegd wat ze gingen doen, maar ze had moeite gehad om het te volgen. Iets met een plaatje bij haar oogkas. Het zetten van haar kaak. Er was een narcosekap over haar mond en neus geplaatst. Ze had de anesthesie gretig ingeademd, om zo snel mogelijk in het niets te kunnen verdwijnen.

In het dorp waar ze was opgegroeid, woonde een meisje met een aangeboren gezichtsafwijking waardoor ze niet alleen een open gehemelte had, maar ook een asymmetrisch gezicht. Naomi had een jaar boven haar op school gezeten. Het meisje bleef vaak een paar dagen weg omdat ze nieuwe operaties moest ondergaan. En als ze er wel was, met verbandgaas op haar gezicht en blauwe plekken die langzaam overgingen in groengeel, stond ze altijd alleen in de pauzes. Naomi had zich nooit iets van haar lot aangetrokken, was nooit op bezoek gegaan, had nooit gevraagd hoe het met haar ging. Sterker nog, ze kon zich niet herinneren dat ze ooit meer dan een halve gedachte aan het meisje had gewijd. Als ze daar nu aan terugdacht, voelde ze zich enorm schuldig. Misschien moest ze haar opzoeken als dit allemaal voorbij was.

Ze zakte weer weg en werd even later gewekt door een jeukerig gevoel op haar borst. Ze wilde haar hand ernaartoe brengen om te krabben, maar haar moeder greep haar snel vast. 'Niet aankomen, meisje,' zei ze. 'Het zal wel vervelend aanvoelen, maar je moet er echt even afblijven.'

Het nare gevoel bleef aanhouden. Misschien was het toch meer een branderig soort pijn dan jeuk. Ze probeerde deze keer haar bovenarm ernaartoe te brengen om erover heen te wrijven.

Weer werd ze tegengehouden door haar moeder. 'Niet doen, lieverd.' Er zat een snik in haar stem. 'Probeer nou rustig te blijven.'

Ze opende haar ogen en zag vaag de contouren van het gezicht van haar moeder. Eén oog was helemaal afgeplakt, merkte ze nu. Ze probeerde haar blik scherp te stellen.

'Ze is wakker,' hoorde ze haar moeder tegen haar vader zeggen. Ze draaide haar hoofd een beetje opzij en zag hem zitten. Zijn ogen waren roodomrand, zijn gezicht zag grauw.

'Mijn meisje,' zei hij. 'Mijn meisje.' Hij kneep te hard in haar hand.

Ze opende haar mond om te vragen wat er aan de hand was met haar borst, maar kon alleen maar onduidelijke klanken uitstoten.

'Zeg maar niets,' zei haar moeder. 'Ze hebben je kaak gezet, dus je kunt je beter zo rustig mogelijk houden.' Ze streek een lok haar uit Naomi's gezicht. 'Ik ben zo blij dat je wakker bent. Je hebt prachtige bloemen gekregen van Menno Jacobs. Zal ik ze even laten zien?'

Terwijl Naomi zich afvroeg wie dat was, zwaaide haar moeder met een grote bos witte bloemen voor haar gezicht. Een zware leliegeur drong haar neusgaten binnen. 'Prachtig, toch? Eigenlijk zouden wij hém bloemen moeten sturen. Zonder hem was je er misschien niet meer...' Haar moeders stem trilde.

Menno Jacobs. Vaag herinnerde Naomi zich een vriendelijk, niet onknap gezicht dat over haar heen gebogen stond. Hij had zijn jas over haar heen gelegd. Haar hand vastgehouden terwijl ze op de ambulance wachtten. Een warme, kalme hand. Ze had in die hand willen verdrinken.

Ze wilde zeggen dat ze het zich herinnerde, maar haar moeder zei: 'Niet praten. De dokter heeft gezegd dat als je je iets beter voelt, je voorzichtig rechtop mag gaan zitten en dan kun je proberen wat te schrijven.'

Ze zag haar moeder naar haar vader kijken. 'En de politie wil ook nog langskomen vandaag.' Ze voegde er voorzichtig aan toe: 'Als je dat aankunt... Hoe eerder ze informatie van jou krijgen over de dader, hoe groter de kans dat ze hem vinden.'

'De klootzak,' viel haar vader uit. 'Die godvergeten klootzak!'

'Hou je nou rustig,' zei haar moeder sussend. 'We willen Naomi niet nog meer overstuur maken. Weet je nog wat de dokter zei?'

'Hoe moet ik rustig blijven!' schreeuwde haar vader. Daarna stond hij op. Naomi hoorde de deur van de kamer dichtslaan.

Haar moeder had weer tranen in haar ogen. 'We vinden het zo erg, schat. We kunnen het nauwelijks bevatten. We...'

Ook haar moeder stond nu op en liep de kamer uit.

Nu ze allebei weg waren, bracht Naomi voorzichtig haar hand naar de pijnlijke plek op haar borst. Er zat een groot gaasverband over haar rechtertepel heen geplakt.

Toen wist ze het weer.

6

Albert had overwogen om zich die dag ziek te melden, maar hij was bang dat hij het dan nooit meer zou kunnen opbrengen om aan het werk te gaan. Hij voelde het zwarte gat aan zich trekken. Hij mocht er niet in vallen. De vorige keer was hij jong genoeg geweest om een nieuw, ander leven op te bouwen. Nu zou hij die flexibiliteit niet meer kunnen opbrengen en zou alles verloren zijn. Misschien werd hij dan wel net als een van die zwervers in zo'n tuinhuisje. Dat mocht niet gebeuren. Hij moest vasthouden aan het laatste restje kracht dat hij nog had.

Hij kon zich met moeite aan het busschema houden. Apatisch legde hij de route af. Zelfs de stewardessen met hun witte tanden en hun gebronsde huid brachten geen verlossing.

Op de voorste rij zat Kevin, een fanatieke vliegtuigspotter. Kevin nam iedere doordeweekse dag de bus van vijf over negen vanaf Plein '40-'45 naar Schiphol. In het jaar dat Albert op lijn 69 reed, had hij maar één keer overgeslagen, omdat hij die ochtend onderweg naar de bushalte zijn been had gebroken. Aangereden bij het oversteken. De volgende dag was hij aan komen strompelen op krukken, met een van pijn vertrokken gezicht, maar blij dat hij niet nog een dag zou hoeven missen.

De eerste dag dat Albert op de 69 reed, had Kevin bij het instappen zijn hand naar hem uitgestoken. Albert was te verbaasd geweest om hem aan te nemen. Bovendien had hij geleerd om op zijn hoede te zijn voor passagiers die te veel contact wilden maken.

Kevin had met een wat monotone stem gezegd: 'Ik ben Kevin. De vaste passagier van vijf over negen. U zult aan mij wennen. Dat doet uiteindelijk iedereen.' Daarna had hij weer nadrukkelijk zijn hand uitgestoken. 'Het is gepast dat we kennismaken.

Kevin Noorddam.' Albert had nog eens een blik op hem geworpen. Een jongeman van begin twintig, met een grote bril en een vale rugzak waar van alles in zou kunnen zitten. En uiteindelijk had hij toch maar besloten om zijn hand te schudden. Ook omdat er inmiddels een rij achter Kevin was ontstaan.

Kevin ging altijd op het voorste bankje zitten, en als daar al iemand zat, zei hij: 'U zit op mijn plek.' De meeste mensen stonden dan op. Een enkeling bleef zitten en dan vervolgde Kevin: 'Vraag het maar aan de chauffeur.' Omdat Albert geen zin had in discussies, zei hij meestal maar dat het klopte. En als ze dan nog bleven zitten, zei Kevin met zijn computerstem: 'Ik beoefen kungfu en krav maga. U kunt maar beter opstaan.'

Meestal keek de betreffende passagier Kevin dan even geringschattend aan. Kevin was een magere jongeman van wie weinig dreiging uitging. Toch stonden ze altijd wel op, waarschijnlijk om van het gezeur af te zijn.

Als Albert eerlijk was, moest hij toegeven dat hij gehecht was geraakt aan Kevin, die verder nooit een woord zei, behalve als er veel verkeer was en ze achter kwamen te liggen op schema.

De dag na het incident zei Kevin opeens, zonder enige intonatie: 'U bent al drie keer afgeweken van de standaardvertrektijden, zonder geldige reden, waardoor u zeker een half procent meer brandstof heeft verbruikt en de kans dat u mensen heeft laten staan die gewoon op tijd waren ruim vier procent is. Wat is er aan de hand, chauffeur?'

Albert was zo verbaasd dat Kevin tegen hem praatte dat hij in een reflex op de rem trapte. Hij zag in zijn spiegel alle passagiers even naar voren schieten. 'Jezus,' hoorde hij iemand sissen.

Hij herstelde zich snel en gaf weer gas. Rustig en gelijkmatig. Tijdens de chauffeursopleiding stond er altijd een glas water op de vloer van de bus. Hoe minder water er was verspild tijdens de rit, hoe beter. Albert was er trots op dat hij altijd bij de topscoorders had gehoord.

'Is er iets,' zei Kevin. Het klonk niet als een vraag, maar als een mededeling.

'Nee,' zei Albert. 'Aardig dat je het vraagt.'

'Ik ben daarop getraind. Sociale vaardigheidstraining,' zei Kevin.

's Avonds zei Ans: 'Je eet niet. En ik heb nog wel karbonades gemaakt.'

Albert keek naar het stuk vlees dat op zijn bord lag, zacht glanzend van het vet, omringd door aardappels en sperziebonen. Voor de vorm sneed hij een stukje af.

'Zit je aan dat meisje te denken?' vroeg Ans. Zelf zat ze gretig haar karbonade naar binnen te werken.

Albert zuchtte. 'Heb ik er goed aan gedaan?'

'Je moest gewoon maar weer eens op tijd naar bed gaan,' zei Ans.

'Ik had iets moeten doen. Wat vind jij? Had ik moeten ingrijpen?'

Ans stopte met kauwen en legde haar bestek neer. 'Nu moet je eens goed naar me luisteren, Albert van der Zande, je gaat toch niet jezelf in gevaar brengen? Je hebt al genoeg te maken met agressie in je dagelijks werk. Het is een wonder dat hier nog nooit iemand met een mes voor de deur heeft gestaan. Nee hoor, je hebt gedaan wat je kon en dat was helpen die man te zoeken. Samen met de politie. Ga nou maar niet de held uithangen, want dat soort dingen lopen alleen maar goed af in films.'

'Dus jij was ook gewoon blijven zitten?'

'Ik was niet eens blijven zitten,' zei Ans stellig. 'Ik was naar binnen gegaan en had alle deuren op slot gedraaid en me verstopt onder het bed. Dat had ik gedaan. Ik ben heel blij dat je jezelf niets in je kop heb gehaald, want je hebt het al zwaar genoeg met je getob en je gerook op dat balkon 's nachts. Zo'n gek die weet waar wij wonen kun je er niet bij gebruiken. Straks ben ik nog aan de beurt. Nou, daar sta je dan met je goeie gedrag. Laat lekker een ander dit opknappen. Je hebt het goed gedaan, hoor je me? En eet nou die karbo op, want ik ben speciaal omgefietst naar de slager, omdat ik dacht dat jij wel een goed stuk vlees kon gebruiken, en niet zo'n in plastic verpakt taai ding van de supermarkt waarvan je maar moet hopen dat het inderdaad varken is en niet een paard of zo.'

'Oké,' zei Albert.

Na het eten ging Albert op het balkon zitten. Hij staarde over het fietspad, waar inmiddels niets meer te zien was van het misdrijf.

'Kijk, het staat in de krant.' Ans stond achter hem met *Het Parool* in haar hand. Ze begon voor te lezen: 'Jonge vrouw mishandeld onder viaduct. Gisteravond rond...'

Albert rukte de krant uit haar handen. 'Ik lees het zelf wel. Ik moet dat getetter van jou al meer dan genoeg aanhoren.'

Het was een klein artikel op de Amsterdamse nieuwspagina, met een korte samenvatting van de gebeurtenissen. Dat het meisje vanuit haar werk naar huis fietste. Dat ze van haar fiets was gesleurd en geschopt, waarbij ze ettelijke zware verwondingen in het gezicht had opgelopen. En dat ze 'dankzij het doortastende optreden van een voorbijganger' was bevrijd uit de handen van haar belager.

Albert dacht terug aan dat moment. Hoe hij als verlamd naar het schermpje van zijn telefoon had zitten staren.

'Heb je het gelezen?' vroeg Ans ongeduldig. 'Nou, d'r staat niet echt iets nieuws in, vind je wel? Wat dat betreft heb je niet veel aan de krant. Ik zal zo eens even kijken op internet of ze de dader al hebben gevonden. Het is toch een rotidee dat die man nog vrij rondloopt. Ik had het er vanochtend met Mia over, die durft bijna niet meer alleen de straat op.'

'Alsof iemand dat ouwe wijf zou willen verkrachten,' zei Albert.

'Hoe bedoel je?' vroeg Ans. 'Mia is net zo oud als ik.'

'Je bent zestig, mens,' zei Albert.

Ans gaf hem een tik tegen zijn achterhoofd. 'Waarom zouden vrouwen van zestig niet aantrekkelijk kunnen zijn? Het is dat jij al zo lang aan mij gewend bent dat je het niet meer ziet, maar geloof me dat nog heel wat mannen zich omdraaien op straat als ik langsloop. Vanochtend op de markt nog. Ik stond even bij de groentekraam...'

'Hou je kop nou es!' zei Albert. 'Ik kan even niet meer tegen dat geouwehoer van jou.'

Ans snoof verontwaardigd en rukte de krant uit zijn handen, waarbij de bladzijde die hij aan het lezen was doormidden scheurde.

Albert keek naar het stuk papier in zijn handen. 'Dankzij het doortastende optreden van een voorbijganger,' las hij weer.

Doortastend. Wat als die Menno niet was langsgefietst, wat zou er dan gestaan hebben? 'Door het laffe gedrag van een getuige heeft het meisje het helaas niet overleefd'?

Albert haalde diep adem. Hij had toch niets verkeerds gedaan? Hij had dat meisje niet aangevallen, hij had het alleen toevallig gezien. Hij was niet de dader, dat was die man met de rare lichte ogen. Wat kon hij er nou aan doen?

Hij stak nog maar een sigaret op.

Dan die Menno Jacobs. De held. God, wat zou die in zijn nopjes zijn met zichzelf. Toen Albert naar beneden was gekomen en had gezegd dat hij alles had gezien, had die Menno hem minzaam aangekeken en gezegd: 'En u deed helemaal niets?'

De lul.

Die kerel had makkelijk praten: hij was gymleraar, nog in de bloei van zijn leven en hij wóónde daar niet. Bovendien was hij op de fiets en hij had snel weg kunnen rijden, mocht dat nodig zijn. En hij had drank op. Dat scheelde ook, natuurlijk.

Albert nam een forse hijs van zijn sigaret.

Hij wist heel goed dat het allemaal smoesjes waren.

En dat hij een lafaard was. Een laffe ouwe hond die het nog niet eens verdiende om geslagen te worden.

7

Rechercheur Plessen en rechercheur Verveer leidden samen het onderzoek naar de aanslag op Naomi Nijssen. Ze waren naar Starbucks gegaan om de eerste bevindingen door te nemen, omdat Meike Plessen geen zin had in de smerige automatenkoffie op het politiebureau. In een hoek van de koffiezaak zaten ze op een bruin lederen bank, omringd door expatvrouwen met kinderwagens. Verveer vond het nogal onzin om drie euro veertig voor een beker koffie te betalen, liever spaarde hij zijn geld voor grotere aankopen, zoals nieuwe velgen voor zijn Volkswagen Golf, maar zoals gebruikelijk gaf hij zijn vrouwelijke collega haar zin.

Het onderzoek was in volle gang: er was buurtonderzoek gedaan, de plaats delict was op sporen uitgekamd en het medische rapport van de forensisch arts was binnengekomen. De meevaller in deze zaak was dat de dader niet de kans had gekregen om sporen te wissen. Naast speeksel op de borst van het slachtoffer waren er diverse soorten vezels aangetroffen, waarschijnlijk afkomstig van de kleding van de dader.

De rechercheurs verwachtten dat het sporenonderzoek veel informatie zou opleveren. Helaas lieten de uitslagen van het Nederlands Forensisch Instituut doorgaans een week of drie op zich wachten en moesten ze het nu nog doen met getuigenverklaringen en gezond verstand.

'Wat vind je van die Van der Zande?' vroeg Plessen. 'Iets aan hem voelt niet goed.'

'Het is gewoon een zak. Wie gaat nou zitten toekijken op zijn balkon en belt niet eens het alarmnummer?'

'Hij is niet de enige. Mensen zijn óf te laf om ook maar iets te doen óf ze schieten meteen iemand dood. Het lijkt wel of er niets tussen zit.' Plessen nam een slok van haar cappuccino. 'Ik vertrouw hem niet. Ik heb het gevoel dat hij informatie achterhoudt. Zoals dat verhaal van die fiets. Hoe kan de dader onopgemerkt zijn weggefietst zonder dat Jacobs dat heeft gezien?'

'Dat is inderdaad typisch. Heeft het sporenonderzoek iets opgeleverd wat het verhaal van Van der Zande ondersteunt?'

'In het zand was zo op het oog niets te zien. Als de fiets van de dader op het asfalt terecht is gekomen, zouden er eventueel metaaldeeltjes te vinden moeten zijn. Maar als zijn fiets op die van Naomi is gevallen wordt het nog lastig.'

Verveer dacht even na. 'Zie jij Van der Zande als een mogelijke dader dan?'

'Hij lijkt me niet het type,' zei Plessen. 'Te weinig testosteron. Al zou hij willen, hij zou het niet kunnen. Maar we weten allebei dat je niemand kunt uitsluiten.'

Verveer moest even opstaan om ruimte te geven aan een moeder die per se haar kinderwagen tussen hem en de salontafel door wilde rijden. 'Hopelijk is het slachtoffer vandaag wel in staat om informatie te geven. Dat zou alles een stuk makkelijker maken.'

'Dat arme meisje,' zuchtte Plessen.

'We zijn toch zo langzamerhand wel een beetje gewend aan dit soort dingen?'

'Ik geloof niet dat je hier ooit aan moet wennen,' zei Plessen fel.

8

Ze hadden zich verontschuldigd dat ze haar even pijn moesten laten lijden, zodat ze wat helderder zou zijn om de vragen van de politie te beantwoorden. Daarna zouden ze de morfinepomp weer opendraaien. Of Naomi het ermee eens was?

Eigenlijk niet, maar ze had toch ja gezegd.

Nu trok, klopte, stak, jeukte en beukte haar hele gezicht. En zaten er twee rechercheurs bezorgd naar haar te kijken. Haar ouders stonden op de gang te wachten. 'Onze ervaring is dat het beter is als ouders er niet bij zijn,' had de vrouwelijke rechercheur gezegd. 'Om u te beschermen zou uw dochter dan wat terughoudender kunnen zijn met de details.'

Ze hadden het hoofdeinde van haar bed omhoog gezet, waardoor ze eindelijk de rest van de kamer kon zien. In de loop van de dag waren er tientallen bossen bloemen bezorgd en aan haar voeteneinde hing een streng met kaarten. Ze vroeg zich af hoe al deze mensen wisten wat er met haar gebeurd was. Misschien stond het wel op Facebook. Ze dacht even aan Jasper, de leuke jongen van haar werk. Dit voorval zou haar in eerste instantie nog interessanter maken. Hij zou zich opwerpen als een hulpvaardige ridder, haar hand vasthouden, haar vertellen dat ze nog steeds mooi was, teder afwachten tot ze weer toe was aan fysiek contact. Maar als zou blijken dat haar gezicht voorgoed verminkt was, en dat haar innerlijke wonden ook nooit meer geheeld zouden kunnen worden, zou zijn belangstelling afnemen en zou hij zijn oog op iemand anders laten vallen. Ze kon hem beter maar meteen bij zich vandaan houden, om toekomstig hartzeer te vermijden.

'Gaat het?' vroeg Plessen bezorgd. 'Heb je veel pijn?'

Ze wilde zeggen: 'Wat denk je zelf?' Maar praten ging niet.

De vrouwelijke rechercheur leek zelf ook te beseffen dat het een vrij domme vraag was, want ze schraapte haar keel en zei: 'Goed, je hebt pen en papier gekregen om antwoorden op onze vragen op te schrijven. Probeer ze maar compact te houden, goed?'

'Ja,' schreef ze op.

Ze vroegen haar eerst naar algemene zaken: waar kwam ze vandaan, hoe laat was het, welke route had ze afgelegd? Daarna kwamen ze op de dader.

'Was hij op de fiets?'

Ja

'Dat weet je zeker?'

Ja

'Kun je omschrijven hoe hij eruitzag?'

Nee

'Echt helemaal niet?'

Man nare man

'Kleur haar, ogen?'

geen idee

'Had hij lichte ogen? Opvallend lichte ogen?'

weet niet, koud

'Wat had hij aan?'

Bergschoenen

'Verder nog iets?'

ik weet het niet ik weet echt niet

Ze zag de rechercheurs wanhopig naar elkaar kijken. 'Misschien schieten je later meer details te binnen,' zeiden ze. 'Dat gebeurt wel vaker. Je bent nu nog in shock.'

Ze vroegen haar naar het moment waarop Menno Jacobs aan was komen fietsen. Hoe ze zijn aandacht had weten te trekken. Hoe ze erin geslaagd was naar hem toe te kruipen, en of ze had gezien in welke richting de dader was verdwenen.

Ze schreef, ondanks de kramp in haar hand en de pijn in haar gezicht, dat ze dat niet wist, omdat ze gefocust was geweest op haar eigen redding en alleen maar had gehoopt dat de dader niet meer terug zou komen. Als ze had kunnen praten, zou ze verteld hebben dat zelfs toen de ambulance al was gearriveerd, ze nog steeds bang was geweest dat hij daar opeens weer zou staan.

En daarna? vroegen ze.

Het verhoor duurde nu al twintig minuten en ze had steeds meer moeite om zich te concentreren vanwege de hevige pijn.

Morfine. Geef me morfine.

'Hou nog even vol,' zeiden ze. 'Je kunt het.'

Geef me morf nu!!!!!

Toen niemand reageerde, omcirkelde ze het woord nog maar een keer.

'Oké,' zei Plessen, 'misschien wordt het nu wat te veel. Ik zal de verpleegster roepen.'

Naomi sloot opgelucht haar ogen. Ze voelde het verband onder haar oog nat worden. Normaal had ze 's ochtends vijf uur college en ging ze aan het einde van de middag naar yogales. Op de avonden dat ze niet in het cafeetje werkte, ging ze meestal eten bij een vriendin. Of naar de film. Of ze deed gewoon even niets. Nooit had ze zich gerealiseerd hoe makkelijk en vrij haar leven was. En nu zou ze het nooit meer terugkrijgen. Niet op die manier.

Er kwam een verpleegster binnen. Ze begroette haar alsof ze

beste vriendinnen waren, al had Naomi haar nooit eerder gezien, maar misschien had ze wel nachtenlang aan haar bed gezeten. Wat hun band ook was, ze draaide de morfinepomp weer open.

Vrij snel daarna voelde Naomi een wazige deken van rust over zich neerdalen. Ze haalde een paar keer diep adem. Bij iedere uitademing voelde ze zich wat verder wegzakken.

'Beter zo?' hoorde ze Plessen in de verte vragen.

'Uhuh,' wist ze uit te brengen.

De pijn was er nog steeds, maar minder prominent, meer een vaag gezoem op de achtergrond, alsof er een mug in je slaapkamer rondvloog. Je kon je eraan ergeren, maar je kon je er ook voor afsluiten.

'Zal ik dan de pen en papier maar pakken?' vroeg de rechercheur. Naomi had niet eens doorgehad dat ze die nog vasthield. 'Of was er nog iets wat je wilde vertellen?'

Ze deed een halfslachtige poging om zich te concentreren, maar dat ging al nauwelijks meer.

'Er is nog wel één ding wat ik wil weten,' haakte de vrouwelijke rechercheur aan. 'Kun je je herinneren dat kort nadat Menno Jacobs je had gered, er nog een andere man tevoorschijn kwam? Een getuige?'

Naomi keerde even terug uit haar sluimertoestand. Een getuige... Ze zag zichzelf weer op de grond liggen, met de jas van Menno over zich heen, de ijzerachtige geur van bloed die alles overheerste.

In haar hoofd hoorde ze een stem: 'Ik heb alles gezien.'

Ze had heel even opgekeken. Ze probeerde zich zijn gezicht te herinneren. Het was een wat oudere man geweest, dat wist ze wel. Zo'n gegroefde, grauwe kop. Een lelijke ouwe kop met waterige oogjes.

'Lukt het je nog om te schrijven?' vroeg Plessen. 'Weet je over wie ik het heb?'

j krabbelde ze op het papier. De pen lag losjes in haar hand, het was lastig om nog duidelijke letters te vormen.

'Kan het zijn dat... kan het zijn dat hij de dader is?'

De pen glipte tussen haar vingers vandaan. De rechercheur viste hem op en drukte hem terug in haar hand.

'We willen kunnen uitsluiten dat hij de dader is,' zei de rechercheur. Ze sprak de woorden langzaam en duidelijk uit. 'Daarom vraag ik je om je heel goed te concentreren. Kan het zijn dat die man de dader is?'

Ze raakte plotseling in paniek. Ze kon zich werkelijk niets meer voor de geest halen. Het enige wat ze wist was dat de man een nare uitstraling had gehad, maar op basis daarvan zouden ze hem nooit kunnen vinden. Ze voelde haar ogen weer vochtig worden.

De vrouwelijke rechercheur pakte haar hand vast. 'Het is oké,' zei ze. 'Ik wil je niet overstuur maken. Haal maar even rustig adem.'

Ze hoorde zichzelf snuivende geluiden maken, als een gekooid beest dat wil ontsnappen. Haar ademhaling leek van ver weg te komen, alsof ze er zelf niets mee van doen had.

Toen ze weer wat rustiger was, voelde ze dat de pen weer in haar hand werd gedrukt.

'Wil je het alsjeblieft nog een keer proberen?' vroeg de rechercheur. 'Kan het zijn dat hij de dader is?'

wetne

'Bedoel je dat je het niet weet?'

j

Daarna werd alles vaag, een schemertoestand waarin ze zich de rest van de dag en avond schuilhield.

9

Albert werd door de politie gebeld met de vraag of hij langs wilde komen voor een gesprekje op het bureau. Hij stond met zijn bus op Schiphol, waar hij altijd zeven minuten pauze had voordat hij terug moest rijden naar Sloterdijk. Er zaten al een paar mensen in de bus: een man die bij KLM Cargo werkte, die er altijd grauw en afgetrokken uitzag en nooit iets zei, zelfs niet toen hij een keer zijn tas in de bus had laten staan en Albert hem die achterna had gebracht; en drie toeristen van wie hij nu al wist dat ze in de verkeerde bus zaten, maar hij had geen zin om ze dat te vertellen.

'Hoezo moet ik langskomen?' vroeg Albert.

'We vragen ons af of u zich misschien nog iets meer kunt herinneren. Iets wat u tijdens uw eerste verklaring over het hoofd heeft gezien.'

Het was een vrouwelijke rechercheur deze keer. Albert had een hekel aan vrouwelijke politieagenten, met hun slecht zittende broeken en stomme dophoedjes.

'Ik heb alles al verteld.'

'Het zou niet de eerste keer zijn dat een getuige nog iets te binnen schiet. Hoe laat kunt u komen?'

Albert verlangde er al de hele dag naar om naar huis te gaan en een dutje te doen. De slechte nachten begonnen hem behoorlijk op te breken. 'Kan het niet morgen?'

'U wilt toch ook dat de dader zo snel mogelijk wordt gevonden?'

'Natuurlijk. Maar zoals ik al zei, ik weet echt niets. Ik heb u alles al verteld.'

'Kunt u hier om vijf uur zijn?'

Albert zuchtte. 'Als u erop staat.'

‘Weet u wat mij opvalt?’ Tegenover hem zat de rechercheur van de eerste nacht. Hij had nu een naambordje op zodat Albert kon zien dat hij Verveer heette. Naast hem zat de vrouw die hij aan de telefoon had gehad. Rechercheur Plessen was precies zoals Albert zich al had voorgesteld. Aan de lelijke kant, maar een attitude alsof ze Cleopatra was. Vrouwen die in een mannelijke omgeving werkten, vonden zich al snel heel wat. Hij herkende dat ook in buschauffeuses. Die wilden dat je koffie voor hen ging halen en knipperden net iets te veel met hun niet bepaald indrukwekkende wimpers.

Verder was er nog een of andere onderknuppel, die mee typte en alles noteerde wat Albert zei.

‘Het valt mij op dat u nog helemaal niet heeft geïnformeerd naar het slachtoffer,’ zei Plessen.

‘Ik ben hier toch ook maar net?’

‘Ja, maar u heeft ook niet gebeld om te informeren. De heer Jacobs heeft dat bijvoorbeeld wel gedaan.’

Daar had Albert niet van terug.

Verveer knikte naar zijn vrouwelijke collega, die een dossier opensloeg. Ze haalde er twee foto’s uit. ‘Dit is Naomi Nijssen, het slachtoffer, vóór en ná de aanranding.’

Albert was zich ervan bewust dat hij door beide rechercheurs aandachtig werd bekeken terwijl hij de foto’s bestudeerde. Op de ene foto lachte een meisje met lang donker haar. Een knap meisje, heel knap zelfs. Sproetjes op de neus, lieve bruine ogen en een mooie mond met tanden. De andere foto toonde haar opnieuw. Haar gezicht was verworden tot een gezwollen bloederige massa, nauwelijks meer als dat van een mens herkenbaar.

‘Ze is al twee keer geopereerd, en waarschijnlijk zal ze nog een stuk of vijf plastisch chirurgische operaties te gaan hebben voordat ze haar gezicht hebben gereconstrueerd,’ vertelde Plessen. ‘Ik werk nu tien jaar bij de politie en ik moet u zeggen dat ik zoiets nog nooit heb gezien.' Dat was natuurlijk niet waar. Plessen had talloze ernstig verwonde gezichten gezien, zowel door geweld als door auto-ongelukken.

Albert wist niet wat hij moest zeggen.

Verveer nam het woord. 'U en de heer Jacobs zijn de enige getuigen. Alleen heeft Jacobs de dader niet gezien, maar u wel. Daarom willen we dat u heel diep nadenkt of u zich nog iets anders over hem kunt herinneren.'

'Hij had lichte ogen. Warrig haar. Normaal postuur...' Albert haalde machteloos zijn schouders op. 'Maar dit heb ik u allemaal al verteld.'

De rechercheurs wisselden een blik.

'Weet u nog wat hij aanhad?'

'Een jackje, geloof ik.'

'Welke kleur?'

'Ik kon het niet goed zien in het licht van de lantaarns. Die ledlampen bleken alles uit, snapt u.'

'Maar u kunt wel tamelijk precies de ogen van de dader omschrijven.'

Albert nam een slok koffie. Hij had het gevoel dat hij alert moest blijven.

'Nou, precies, precies... Ik zag alleen dat zijn ogen heel licht waren.'

'Juist...' Het bleef een tijdje stil. Albert verlangde naar een sigaret. 'We hebben op basis van de informatie die u gisteravond heeft gegeven een profieltekening gemaakt.' Plessen haalde een vel papier uit het dossier en legde het voor Albert neer. 'Lijkt dit op de dader?'

Een nietszeggende man staarde Albert vanaf het papier aan. Met vreemde lichte ogen, dat was het enige aanknopingspunt.

'Ik weet het niet,' zei Albert. 'Het ging allemaal zo snel en ik zie heel veel gezichten op een dag. Ik heb mezelf geleerd om niet al te veel in te zoomen op alle verschillende mensen, anders word ik gek.' Omdat beide rechercheurs hem vragend bleven aankijken, zei Albert: 'Ik geloof dat zijn haar wat langer was. En warriger. De kleur klopt geloof ik wel zo'n beetje.'

Verveer maakte een aantekening. 'Dan is er nog iets. Het meisje was ook verwond op een tamelijk... vervelende plek. Weet u waar we het over hebben?'

'Geen idee,' zei Albert.

Weer een blik. Het begon Albert behoorlijk op de zenuwen te werken.

'We hebben het hier over een andere verwonding dan in het gezicht. U weet welke we bedoelen, toch?'

Albert dacht na en zei: 'Toen ik beneden kwam, had die Menno een jas over haar heen gelegd. Ik heb dus niets kunnen zien. Misschien moet u het hem vragen.'

'Maar stel dat u iets moet bedenken, wat komt er dan als eerste bij u op?'

'Wat is dit nou weer voor een achterlijke vraag?'

'Pardon?'

'Wat willen jullie eigenlijk van me? Ik moet per se op komen draven, vandaag en niet morgen, en het enige waar jullie mee komen zijn achterlijke vragen.'

Verveer keek hem met een geveinsd geduldige blik aan. 'Het spijt me als het zo op u overkomt. De politie heeft soms een wat bijzondere manier van vragen stellen, maar dat betekent niet dat er geen logische gedachte achter zit. Mag ik dan nog één ding met u doornemen, voordat we u laten gaan?'

'Heb ik iets te kiezen?' vroeg Albert.

'Hoe komt het dat u het alarmnummer niet hebt gebeld?'

Albert hield zijn gezicht zo goed mogelijk in de plooi. 'Dat heb ik u al verteld. Ik dacht dat er twee junks aan het vechten waren en dat het alweer klaar was toen ik naar buiten kwam.'

'Waarom ging u naar binnen?'

'Om mijn telefoon te pakken.'

'Dus u wilde wel bellen?'

'Natuurlijk wilde ik dat.'

Verveer pulkte aan zijn kin. Hij had zo'n semi-hippe driedagenbaard. Albert haatte dat soort gezichtsbeharing.

'Oké.' Plessen sloeg het dossier dicht. 'Ik denk dat we wel even genoeg van u hebben gehoord. Dan nog een laatste verzoek: zou u wangslijm willen afstaan?'

'Pardon?'

'Ja, we hebben DNA nodig van iedereen die op de plaats delict is geweest. Dat is standaard in dit soort gevallen.'

Ze zagen hem als verdachte, besefte Albert. Dat was nu wel duidelijk. En ze dachten natuurlijk ook dat hij te dom was om dat door te hebben. Hij was immers buschauffeur.

'Heeft u ook van de heer Jacobs wangslijm afgenomen dan?'

'Ja,' zei Verveer.

Net iets te snel, dacht Albert, maar hij kon zich vergissen.

'Natuurlijk wil ik dat,' zei hij. Hij betrapte zich erop dat hij bijna klonk als Kevin, de jongen in de bus.

'Fijn.' Plessen wierp hem een nepglimlach toe, met haar veel te grote voortanden. 'Kunt u dan met dit staafje even langs de binnenkant van uw wang gaan?' Ze haalde uit een lade een plastic buisje met een lange wattenstaaf erin en gaf dat aan.

Albert deed wat hem werd gevraagd. 'Hoelang duurt het voordat u de uitslag heeft?' vroeg hij toen.

'Is dat belangrijk?' vroeg Verveer.

'Gewoon interesse.'

'Dat hoort u vanzelf,' zei Plessen. 'Mag ik u vragen om voorlopig beschikbaar te blijven, mochten er nog nieuwe vragen zijn of zich nieuwe ontwikkelingen voordoen?'

'Heb ik iets te kiezen?' vroeg Albert nog een keer. Het was zijn bedoeling om het ijs te breken, maar Verveer en de vrouw zagen er duidelijk de grap niet van in. Hijzelf achteraf gezien misschien ook niet.

Plessen stak een hand uit. 'Tot ziens, meneer Van der Zande.'

Albert, opgelucht dat hij weg kon, ging ook staan en zei netjes gedag, om daarna zo snel mogelijk de kamer uit te lopen.

In de deuropening bleef hij staan. 'Zeg, dat meisje, hè...'

'Ja,' zei Verveer gretig.

'Zou ik haar mogen bezoeken?'

De rechercheurs wisselden weer een blik. Ze zouden dat af moeten leren op de politieschool, dacht Albert.

'We zullen het met haar en haar ouders bespreken,' zei de vrouw toen. 'Waarom zou u dat willen?'

'Omdat...' Albert kon geen passend antwoord vinden. 'Gewoon,' zei hij toen, en hij maakte zich uit de voeten.

Die avond zat Albert weer op zijn balkon een sigaret te roken. Ans zat binnen een of ander dom programma te kijken. Aangezien ze niet zoals gebruikelijk al vijf keer had gevraagd of hij ook kwam, of hem thee had aangeboden, vermoedde Albert dat ze nog steeds een beetje pissig op hem was.

Hij dacht aan Naomi. Hoe had hij moeten weten dat het een jong meisje was en niet een of andere malloot die niet beter verdiende dan om een keer goed in elkaar gerost te worden?

Hij had zichzelf altijd een goede burger gevonden. Iemand die de vuilnis op de juiste tijden buiten zette, op tijd op zijn werk verscheen en zijn belastingformulier eerlijk invulde. Hij wist wel dat ze niet de sleutel tot wereldvrede van hem hoefden te verwachten, maar hij had altijd het gevoel gehad dat hij degelijk was. Tot nu.

Was hij maar gewoon naar bed gegaan, die nacht. Dan had hij hier niets mee te maken gehad. Naomi Nijssen had hier niet om gevraagd. Maar híj ook niet. Nu moest hij ook nog de hele tijd over zichzelf nadenken. Was hij nu opeens een slecht mens?

'Ik ga naar bed,' zei Ans opeens achter hem. 'Ik hoef zeker niet te vragen of je meekomt?'

'Dat hoef je inderdaad niet,' bromde Albert. Hij nam niet de moeite zich om te draaien.

'Wat jij wilt,' zei Ans. Hij kon aan haar voetstappen horen dat ze geïrriteerd was.

Ineens overwoog hij om haar terug te roepen. Haar weer eens een keer tegen zich aan te trekken en haar te zeggen dat hij echt van haar hield, al was hij een ongelikte beer in de omgang. Maar hij deed het niet.

In plaats daarvan stak hij nog een sigaret op.

10

Een dag later, alsof hij nooit weg was geweest, niet was gaan slapen, niet zesmaal de moeizame kilometers tussen Sloterdijk en Schiphol had afgelegd, niet met Ans andijvie had gegeten, niet zichzelf honderd keer had vervloekt om zijn mislukte leven, zat Albert weer te roken en over het fietspad te staren.

Opeens meende hij beweging te zien onder het viaduct.

Hij voelde zijn mond droog worden, zijn handen verkrampen. Hij probeerde ze te ontspannen, maar het lukte niet om zijn vingers te strekken. Zijn sigaret viel uit zijn hand, maar hij kon zich er niet toe zetten hem op te rapen. Om überhaupt te bewegen.

Misschien vergiste hij zich. Hij spitste zijn oren, hield even zijn adem in. Het enige wat hij hoorde was het verkeer op de snelweg. Verdomme, hij leek wel gek.

Doe normaal, sprak hij zichzelf toe. Hij moest oppassen dat hij niet weer in zou storten, zoals twintig jaar geleden. Toen had hij de signalen niet herkend, maar nu herkende hij ze allemaal.

Hij bukte zich om zijn sigaret op te rapen. Nam weer een trekje. Hij keek opnieuw naar het viaduct. Nu zag hij duidelijk een man staan. Hij stond met zijn rug naar hem toe, maar Albert meende het rossige haar van de dader te herkennen.

Wat kwam hij hier doen? Albert herinnerde zich dat hij ergens had gelezen dat daders vaak terugkeerden naar de plaats delict om hun daad te herbeleven. En had de politie ook niet gezegd dat ze vaak in de buurt bleven?

Hij wist dat hij moest opstaan, de politie moest bellen. Misschien konden ze de man arresteren. Als hij er tenminste nog was tegen de tijd dat ze aankwamen. 'Goh, meneer Van der Zande, kon u het deze keer wel opbrengen om te bellen?' zouden ze tegen hem zeggen. Maar waarschijnlijk zouden ze hem niet geloven en denken dat hij de verdenking van zichzelf probeerde af te wentelen. Hij zag het minachtende gezicht van die Verveer al voor zich. Het zelfingenomen hoofd van die vrouwelijke rechercheur. De blik die ze zouden wisselen. Nee, dank u.

De man had zich een halve slag gedraaid, waardoor Albert zijn gezicht en profil zag. Hij was het. Albert wist het nu zeker. Die grote neus, de rare bleke ogen en de dunne lippen.

Hij kon de politie niet bellen. Maar hij wist ook dat hij niet laf kon blijven zitten zoals de vorige keer.

Hij nam een belangrijk besluit. Hij zou laten zien dat hij niet zomaar een bangige oude man was. Dat Menno Jacobs niet de enige held was die er in Amsterdam rondliep. Hij zou er zelf op af gaan.

Albert sloop door de bosjes voor het flatgebouw. Het viel nog niet mee om zachtjes te doen. In zijn hand hield hij een hamer. Het was het enige wapen dat hij zo snel had kunnen vinden. Ja, of een broodmes. Maar het leek Albert geen goed idee om de dader neer te steken. Neerslaan was een betere optie.

Tussen de bosjes en het viaduct was een strookje braakliggend terrein. Het zou onmogelijk zijn om dit stuk ongezien te overbruggen. Albert besloot dat de enige manier was om een sprint te trekken, hamer in de aanslag, op de dader af te rennen en hem neer te slaan.

Albert wachtte even op het juiste moment. Hij zag de dader nu duidelijk staan, nog steeds met zijn rug naar hem toe, wijdbeens, de handen in zijn zakken. Als een kasteelheer die over zijn landgoederen uitkeek.

Albert was nu al buiten adem, zonder ook maar een meter gerend te hebben. Hij voelde zijn hart paniekerig kloppen, hoog in zijn borstkas. Hij aarzelde. Misschien had hij toch het beste de politie kunnen bellen. Misschien moest hij alsnog de politie bellen, maar hij had zijn mobiel binnen laten liggen. Er was geen weg terug. Hij moest het nú doen.

Hij haalde een keer diep adem, in een vergeefse poging om rustig te worden. Hij verstevigde zijn greep op de hamer en zette een sprint in.

Toen Albert als een woeste stier aan kwam rennen met de hamer in zijn hand keek de dader om, opgeschrikt door het geluid. Even keek Albert recht in zijn vreemd lichte ogen.

De dader leek niet te geloven wat er gebeurde. Hij bleef staan, haalde zijn handen uit zijn zakken en keek Albert geringschattend aan. Waarschijnlijk beraadde hij zich op een tegenaanval, maar besloot om het toch op een lopen te zetten.

Albert rende achter de man aan. Zijn achterstand bedroeg slechts enkele meters. Hij vervloekte zichzelf om zijn slechte conditie. Hij wist dat hij nu alles moest geven wat hij had, op een langere afstand zou hij sowieso verliezen.

Zijn borstkas deed pijn en zijn adem gierde als een auto in een te lage versnelling, maar Albert voelde zich op een vreemde manier sterk. Nu hij zo dicht bij de dader was, bewogen zijn benen als vanzelf. Hij wist niet waar hij het vandaan haalde, maar hij rende nu nog sneller.

De dader vloog onder het viaduct door, over een strook gras die langs het fietspad lag. Rechts van hem was een sloot.

Albert was vlak achter hem nu. Hij bracht de hand waarin hij de hamer vasthield naar achteren, klaar om een harde klap op het hoofd uit te delen. De adrenaline spoot door zijn lichaam. Hij voelde zich goed. Beter dan hij zich in jaren had gevoeld. Misschien wel beter dan ooit. Hij was hiervoor gemaakt. Dit was de ware Albert, die al die jaren verborgen had gezeten.

Hij haalde uit. Trefzeker. Hard. Daarbij dacht hij aan het meisje. Als bekend werd dat hij de dader te pakken had gekregen, zou ze hem zeker vergeven dat hij die eerste avond niet had ingegrepen. Alle wonden zouden genezen, en hij zou weer kunnen slapen 's nachts.

Maar terwijl hij uithaalde, struikelde hij over een loszittende graspol. Hij raakte in zijn val de dader nog net in de rug, niet hard genoeg om enige schade aan te richten, en landde languit op de grond. Terwijl hij de geur van vochtig gras lag in te ademen, vermengd met de rotte lucht van de sloot, hoorde hij de dader schreeuwen.

'Ik weet waar je woont, klootzak!'

Albert keek op. De dader stond zo'n vijftien meter verderop, met gebalde vuist. Hij had een accent. Albert kon het niet plaatsen. De oo's klonken anders. Te kort.

'Ik weet waar je wont!' schreeuwde de dader nogmaals met overslaande stem. 'Ik weet waar je wont!'

Daarna draaide hij zich om en liep weg, met grote agressieve passen.

'Godverdomme,' bracht Albert uit, tot zover zijn kortademigheid dat toeliet. Aan zijn rechterhand zat modder. Of eendenstront. Hij had geen zin om uit te zoeken welke van de twee.

Hij krabbelde overeind en zag de dader nog net de hoek om verdwijnen. Daarna bleef hij een tijdje staan met zijn handen op zijn knieën, zijn hoofd naar beneden. Iedere ademteug deed pijn. Straks kreeg hij nog een hartinfarct. Hoe zou hij dat thuis moeten uitleggen?

Het duurde lang voordat zijn ademhaling rustig werd. Dat er allerlei paniekerige gedachten door zijn hoofd schoten, hielp ook niet bepaald mee. Misschien moesten hij en Ans zo snel mogelijk verhuizen. Misschien moest hij dit alsnog aan de politie vertellen, en dan op de koop toe nemen dat ze hem op z'n minst zouden kleineren en waarschijnlijk niet eens zouden geloven.

Hij ging rechtop staan en strompelde in de richting van zijn flat. Zijn benen waren totaal verzuurd. Nu al. Morgen zou hij waarschijnlijk niet eens normaal kunnen lopen. Met gebogen hoofd liep hij onder het viaduct door. Op de grond zag hij een stukje vergeten rood-wit afzetlint van de politie liggen.

Hoe kon je van mensen die niet eens de moeite namen om hun eigen spullen netjes op te ruimen verwachten dat ze ooit de dader zouden vinden?

Er lag nog iets op de grond. Een wit papiertje. Albert bukte om het op te rapen. Het was een kassabon van een dierenwinkel in Nieuw-West. Albert nam de bon mee naar de dichtstbijzijnde lantaarnpaal om de kleine letters beter te kunnen lezen. Vijf kilo vogelvoer was er afgerekend.

Albert dacht terug aan hoe de dader daar had gestaan, met zijn handen in zijn zakken. Zou het kunnen dat deze kassabon uit zijn zak was gevallen toen hij Albert aan zag komen rennen en zijn handen snel tevoorschijn haalde?

De politie had zeker vier, vijf uur naar sporen gezocht. Hoe groot was de kans dat ze deze kassabon over het hoofd hadden gezien terwijl hij daar zo open en bloot lag?

Klein. Die kans was heel klein.

Albert keek nog een keer naar de kassabon. Het vogelzaad was gisteren om elf uur afgerekend. Daarmee viel de mogelijkheid dat een van de politieagenten tijdens het zoeken naar sporen zélf de bon had verloren af.

Hij dacht aan de dader. Hij wist zeker dat de kassabon van hem was. Hij voelde het aan zijn water.

We zullen nog weleens zien wie wie gaat vinden, dacht hij. Niemand fuckt meer met Albert van der Zande.

11

Naomi voelde zich beroerder dan ooit. De eerste paar dagen had ze kunnen terugvallen op hoge doses pijnstillers, maar inmiddels hadden de artsen besloten de toevoer af te bouwen zodat ze niet verslaafd zou raken.

Alsof dat nu het ergste zou zijn: een morfineverslaving. Terwijl haar gezicht aan gruzelementen lag en haar tepel...

Ze had vanochtend gevraagd of ze haar borst mocht zien, nadat ze eerder had gemerkt dat de verpleegsters ontwijkend deden over wat er nou precies aan de hand was. Beschadigd, bleven ze maar zeggen. Je tepel is beschadigd.

Ze hadden gezegd dat ze beter nog even kon wachten. Morgen heb je een gesprek met de dokter en zal hij je een volledige update geven. Zorg nou eerst maar dat je uitrust. Dat laatste kon ze niet meer horen. Uitrusten, alsof ze een bejaarde was die behoefte had aan het middagslaapje, terwijl ze gewoon een actieve eenentwintigjarige was die hardhandig uit haar leven was geschopt.

Haar gezicht hadden ze haar wel laten zien. Ze hadden op haar verzoek een handspiegel voorgehouden. Ze had zichzelf nauwelijks herkend. Een monster verpakt in wit gaas had haar geschokt met één oog aangestaard. Daarna had ze de hele dag naar het plafond gekeken en nergens meer op gereageerd. Ze had alleen een stellig 'nee' geproduceerd op de vraag of het goed was als de politie weer langskwam. Ze had haar ouders lang op paniekerige toon horen overleggen op de gang, maar wat ze precies zeiden kon ze niet horen. Dit was haar nieuwe rol: slachtoffer. Nu zou iedereen nog rekening met haar willen houden, maar op een gegeven moment zouden ze haar gewoon vervelend en zuur gaan vinden. Naomi gaf iedereen een halfjaar. Haar ouders iets langer.

Naomi bedacht dat dit het moment was om erachter te komen wat er met haar borst aan de hand was. Ze drukte op de knop om de zuster te roepen. Een van de jongere verpleegsters kwam binnen. Zij was misschien twee jaar ouder dan Naomi en durfde haar nauwelijks aan te kijken.

'Kmoe plass...' bracht Naomi uit tussen opeengeklemde kaken.

'Oké, dan pak ik de steekpan even.'

'Cee,' zei Naomi. En omdat ze zich afvroeg of het wel verstaanbaar was, zei ze het nog maar een keer: 'Cee.'

De verpleegster keek bezorgd om zich heen. 'Ik weet niet of dat al mag, ik zal even...'

'Pèh.'

'Wat zeg je?'

Naomi maakte een schrijvend gebaar. En nog duurde het even voordat het meisje haar begreep. Ze pakte een pen en een velletje papier.

Het mag. Ik ben vanochtend ook al geweest.

Wat niet waar was. Ze hadden net een uur geleden de katheter verwijderd.

'Goed,' zei het meisje toen. 'Zal ik je ondersteunen?'

Naomi ging overeind zitten. Even werd ze duizelig, zoals steeds gebeurde wanneer ze haar hoofd bewoog. Ze wachtte een paar tellen. Daarna draaide ze haar benen naar de zijkant van het bed en liet ze even bungelen.

'Ik zal een opstapje pakken,' zei het meisje. 'Wacht.'

Ondertussen probeerde Naomi scherp te stellen op de kamer die gevuld was met bloemen en knuffelbeesten. Ze vroeg zich af waar die laatste voor dienden. Dachten mensen nou echt dat ze zich beter zou voelen door een teddybeer? Wat hadden die dingen voor nut? Was het de bedoeling dat ze haar verloren onschuld terug zou krijgen?

'Ziezo.' Het meisje zette het opstapje voor het bed neer en gaf Naomi een arm. 'Probeer er maar voorzichtig op te stappen. Als je je niet goed voelt, moet je het zeggen.'

Naomi ging voor de eerste keer sinds ze van haar fiets af was geslagen op haar benen staan. Ze voelde zich slap.

'Gaat het?' vroeg de verpleegster.

Naomi knikte weer, al leek haar hoofd uit elkaar te knallen en had ze het gevoel dat haar benen het ieder moment konden begeven.

Ze schuifelde aan de arm van de verpleegster naar de wc.

'Zal ik de deur maar openlaten?' vroeg het meisje. 'Voor het geval er wat gebeurt.'

Naomi liet zich op de pot zakken en sloeg de deur in haar gezicht dicht. Ze draaide snel het slot om.

'Gaat het?'

'Hm-hm.'

Ze schoof haar T-shirt omhoog. Pas nu viel het haar op dat dit een shirt was dat ze helemaal niet kende. Er zaten vouwen in, alsof het vers uit de verpakking was gekomen. Ze keek naar het grote stuk gaas met tape dat op haar rechterborst zat geplakt.

Ze pulkte voorzichtig aan de randjes. Daarna haalde ze diep adem en rukte in één keer het hele gaas eraf.

Vol ontzetting keek ze naar de zes hechtingen op de plek waar enkele dagen geleden nog haar tepel had gezeten. Uit de zijkant van de wond stak een kleine drain. Ze probeerde haar mond te openen om te schreeuwen, maar ze kreeg haar kaken niet ver genoeg van elkaar. Er kwam een raar kreunend geluid uit haar mond, als van iemand die gekneveld is.

De verpleegster begon op de deur te bonzen. 'Wat is er gebeurd? Doe de deur open!'

Naomi was door haar benen gezakt en bleef het doordringende geluid produceren.

De verpleegster bonkte weer op de deur. 'Wat is er? Ben je gevallen? Doe open!'

Omdat het er niet op leek dat Naomi reageerde op wat ze zei, rende de verpleegster weg om hulp te halen, zich ervan bewust dat ze hoogstwaarschijnlijk een grote fout had gemaakt. Even later kwam ze terug met een bewaker, de hoofdverpleegster en de ouders van Naomi.

De bewaker stak een loper in het slot, maar kreeg de deur niet open. 'Sorry,' zei hij. Nerveus zocht hij aan de bos naar de juiste sleutel.

'Schiet op!' zei Naomi's moeder.

Door de deur heen hoorden ze het geluid dat leek op dat van een gewond dier.

'We komen eraan, schat,' zei haar moeder. 'Hou nog even vol.'

Ondertussen probeerde de bewaker een andere sleutel. Zijn handen trilden een beetje. Hij was zich bewust van de priemende ogen van Naomi's ouders, de hoofdverpleegster en de leerling-verpleegster. Uiteindelijk slaagde hij erin de deur te openen.

'Naomi?' vroeg haar moeder voorzichtig. 'Naomi?'

Naomi zat nog steeds op de grond, haar verminkte borst open en bloot. Met het oog dat vrij van verband was, staarde ze naar de grond, ergens net voor haar voeten. Ze huilde.

Haar moeder wilde niet naar Naomi's borst kijken, maar ze deed het toch. Haar vader deed een stap achteruit en keek hulpeloos naar de bewaker. Die had discreet zijn blik afgewend.

Naomi's moeder liet zich voor haar dochter door de knieën zakken. 'Lieverd, kom je mee? Je kunt hier toch niet zo blijven zitten?' Ze trok voorzichtig het T-shirt van haar dochter naar beneden. 'Kom, schat. Laat me je helpen.'

Naomi reageerde nog steeds niet. Haar moeder keek hulpeloos over haar schouder naar de anderen.

'Laat mij maar,' zei de hoofdverpleegster. Dit was zeker niet de eerste keer dat ze een getroebleerde patiënt van de wc af moest plukken. Ze stapte langs de moeder van Naomi, waarbij ze haar per ongeluk een duwtje opzij gaf en ging voor Naomi staan. 'Ik ga nu je hand beetpakken en dan trek ik je rustig overeind. Oké?'

Ze pakte Naomi's hand en gaf er een rukje aan om te kijken of ze zou reageren. Daarna zuchtte ze diep. 'Ik tel tot drie. En bij drie kom je rustig overeind, goed?' Naomi reageerde nog steeds niet. De hoofdverpleegster begon te tellen: 'Een, twee...' Ze hoopte maar dat Naomi mee zou werken. Zo autoritair mogelijk zei ze: 'Drie.' Ze trok aan Naomi's arm. Dood gewicht. Ze moest het opgeven.

De hoofdverpleegster richtte zich nu tot de bewaker. 'Ik denk dat jij haar eruit moet tillen.'

'Ik weet niet of ze het prettig vindt als een man...' begon Naomi's moeder. Ze maakte de zin niet af en keek hulpeloos om zich heen. Haar ogen schoten vol.

'Wacht u anders even op de gang,' zei de hoofdverpleegster.

'Ik ga mee,' zei Naomi's vader.

Op de gang begon Naomi's moeder te huilen. Haar man sloeg zijn armen om haar heen en klopte op haar rug.

'Wat afschuwelijk,' fluisterde ze toen ze weer kon praten. 'Wat afschuwelijk.'

'Ik weet het,' zei haar man. Hij liet een beverige zucht ontsnappen.

'Hij heeft gewoon een hap uit haar genomen. Alsof ze niet genoeg verminkt was in haar gezicht.'

'De klootzak. De godvergeten klootzak!' Hij liet zijn vrouw abrupt los en schopte tegen de muur.

Naomi's moeder begon weer te huilen. 'Rustig nou. We moeten sterk blijven voor Naomi. Zij kan dit soort toestanden van ons er niet bij hebben.'

'Ik voel me zo'n slappeling. Ik had haar beter moeten beschermen. Ik had een kamer voor haar in de stad moeten huren, zodat ze niet onder dat kloteviaduct door had gehoeven. We hadden toch ook afgesproken dat ze daar niet alleen zou fietsen 's nachts?'

'Ze is eenentwintig. Ze doet echt niet meer wat wij willen. Bovendien wilde ze zelf geld besparen met die goedkopere kamer. Het is heus niet zo dat we het er niet met haar over hebben gehad.'

'Maar wij zijn haar ouders, godverdomme!'

'Ze leeft nog,' zei haar moeder. 'En ze is niet...'

‘We moeten blij zijn dat ze niet verkracht is, bedoel je dat?’ zei haar vader op vrij luide toon.

‘Sst, straks hoort ze je nog.’

‘Dankbaar zelfs?’

Naomi’s moeder begon weer te huilen. ‘Hou nou op.’

Haar man keek haar aan en had spijt van zijn uitval. ‘Je hebt gelijk. Ik weet gewoon niet wat ik met mezelf aan moet.’

Ze sloegen de armen weer om elkaar heen en bleven zo een tijdje staan, totdat de bewaker naar buiten kwam en zei dat Naomi weer in bed lag.

12

De volgende dag ging Albert in zijn lunchpauze naar de dierenwinkel. Zodra hij binnenstapte, rinkelde er een belletje en sloeg de bedompte lucht van dierenvoeder en schurftige cavia’s hem in het gezicht. Albert hield niet van dieren. Toen duidelijk was geworden dat Ans en hij geen kinderen konden krijgen, had ze het nog een tijd over een hond gehad. Daarna over een kat. Toen een parkiet. En daarna had ze het opgegeven en hem voor altijd kwalijk genomen dat hij haar nageslacht noch een huisdier had geschonken.

Een heer van ver boven de pensioengerechtigde leeftijd, gekleed in een vrolijk gekleurd ruitjesoverhemd, stond achter de toonbank.

‘Wat kan ik voor u doen?’

Albert probeerde zich niet te ergeren aan het luide gekrijs van de parkieten die in opeengestapelde kooien naast de kassa stonden. ‘Ik heb een ongebruikelijke vraag,’ zei hij.

'Dat bestaat niet, meneer. Wij hebben hier alles al meegemaakt. Maar dan ook alles.' De man gaf er een knipoog bij.

O, god, dacht Albert. Een lolbroek. Heb ik weer. Hij keek de man strak aan om duidelijk te maken dat hij geen zin had in joviaal gedoe en zei: 'Ik ben op zoek naar een van uw klanten.'

'Nou, dat hoor ik inderdaad niet vaak.'

Albert haalde de kassabon tevoorschijn en keek nog een keer wat erop stond, al kende hij het inmiddels uit zijn hoofd. 'Een paar dagen geleden heeft hier om elf uur een meneer vogelvoer gekocht. Vijf kilo maar liefst.'

De oude man fronste zijn voorhoofd. 'Vijf kilo is een vrij normale hoeveelheid. Er komen hier zoveel klanten, weet u. Veel vogelliefhebbers. Vogels zijn mijn specialiteit. Mensen komen hier van heinde en verre voor mijn sierduiven, kanaries, parkieten, dwergpapegaaien, fazantjes, vinken, kwarteltjes...'

'Ja, stop maar,' zei Albert. 'Maar misschien kunt u even nadenken over een bepaalde klant die hier gisteren is geweest. Zelf nogal een vreemde vogel, als u woordgrappen kunt waarderen.'

'U bent niet de eerste die die grap maakt,' zei de man verveeld.

'Nou, in dat geval zal ik hem maar gewoon omschrijven: een beetje een rare man met warrig rossig haar, lichte ogen, grote neus... en een smalle mond. Weet u wie ik bedoel?'

'Jazeker,' zei de oudere man opgewekt. 'Die ken ik wel. Die komt hier iedere week wel een keer.'

'Weet u hoe hij heet? En waar hij woont?'

'Natuurlijk niet. Hoe zou ik dat moeten weten?'

'U maakt toch weleens een praatje, neem ik aan?'

'Jawel, maar dat gaat altijd over vogels. Sinds drie maanden komt hij hier. Een Zweed, geloof ik. Of een Noor. Wist in het begin helemaal niets. Ik heb hem uitgebreid geadviseerd. Ik raadde hem aan om makkelijke vogels te nemen, zoals mozambiquesijsjes, kanaries, Mexicaanse roodmussen, maar uiteindelijk koos hij voor parkieten. Niet dat die moeilijk te houden zijn, maar misschien qua geluid wat minder geschikt... Gebeurt wel vaker. Van die types die vanuit het niets in één keer een enorme volière starten.' De man schudde zijn hoofd. 'Loopt niet altijd goed af. Ziet u, een volière houden is een kunst op zich. Ik adviseer altijd om te beginnen met een leuk koppeltje in een mooie kooi. En als dat bevalt, kun je altijd nog uitbreiden.'

'Maar hij zei niet waar hij woonde?'

'In een flat.'

'En staat die volière binnen of buiten?'

'Binnen.'

'Maar u weet niet waar die flat is?'

'Nee, dat weet ik niet. Ik kan u wel vertellen wat voor soort volière hij heeft gebouwd. Hij...'

'Betaalt hij contant?' onderbrak Albert hem.

'Dat is wel een heel persoonlijke vraag.' De man bekeek Albert uitgebreid, alsof hij hem nu pas voor het eerst zag en een inschatting probeerde te maken.

'Dat weet ik, maar als hij met pin heeft betaald, kunt u misschien zijn naam terugvinden.'

'Dit gaat me een beetje te ver. Ik wil u best nog wat meer over vogels vertellen. Of over vissen of knaagdieren. Maar ik kan u geen informatie over klanten verstrekken.'

'Dat begrijp ik,' zei Albert ongeduldig.

'Anders nog iets?'

'Hij komt hier iedere week, zei u?'

'Wij zijn uitgepraat,' zei de man. Hij draaide zich om en begon druk doosjes met vlooienbandjes die achter de kassa in de kast stonden te stapelen.

'Deze man is gevaarlijk,' zei Albert. 'Daarom moet ik hem vinden. Begrijpt u dat?'

'Ik wil dat u weggaat.'

'Luister,' zei Albert. 'Dit is belangrijk. Die man is een verkrachter, een gevaar voor de samenleving.'

'Als u nu niet weggaat, bel ik de politie. Of ik laat de grijze roodstaart los.'

Toen Albert buiten stond, baalde hij dat hij het had verpest. Hij was te snel ter zake gekomen. Hij had op z'n minst tien minuten moeten lullen over sijsjes, roodborstjes, teringvinken of hoe die beesten allemaal ook mochten heten. Als die man het gevoel had gehad dat hij een gelijkgestemde voor zich had op vogelgebied, was hij daarna waarschijnlijk een stuk minder argwanend geweest. Je zou denken dat iemand zoals Albert, die iedere dag met mensen werkte, een wat hogere sociale intelligentie zou hebben. Maar nee, hij was er juist bijzonder asociaal door geworden.

Hij moest veranderen. Als één ding hem duidelijk was geworden de laatste tijd, dan was dat het wel. Onderweg naar huis liep hij langs een bloemenstalletje en kocht in een opwelling een bos rozen voor Ans. Roze rozen, want de rode kostten anderhalf keer zoveel.

Hij liep de flat binnen, waar Ans in de keuken hutspot stond te maken, kuste haar onhandig in haar nek en zei: 'Hier, voor jou.'

Ans draaide zich om. 'Zo, meneer heeft rozen meegenomen. Nou, dat mag ook wel in de krant. Heb je wat goed te maken? O ja, je hebt wat goed te maken, dat is waar ook. Nou fijn dat je tot inkeer bent gekomen, want goeie vrouwen zoals ik liggen niet voor het oprapen, als je dat maar weet.'

'Hou je kop, mens,' zei Albert. 'Neem die dingen nou maar aan en snijd ze schuin af, want ze waren niet goedkoop en het zou zonde zijn als ze binnen twee dagen doodgaan.'

13

Inmiddels was het hele traject dat Naomi met de fiets had afgelegd door de recherche nagelopen. Verschillende mensen hadden haar zien fietsen, inclusief de eigenaar van de snackbar op het Mercatorplein, die toevallig naar buiten had gekeken op het moment dat ze langsreed.

'Is het niet vreemd dat die snackbarhouder de dader niet heeft gezien?' vroeg Plessen aan Verveer. Ze zaten alweer bij Starbucks. Deze keer had Verveer uit stil protest een glas kraanwater genomen. Het was middag en de expatvrouwen met hun kinderwagens hadden plaatsgemaakt voor scholieren die dure zoete ijsdrankjes dronken op koffiebasis.

'Maar Naomi heeft zelf gezegd dat zij de dader heeft zien staan op het plein.'

Plessen dacht na. 'Dat klopt, maar tegelijkertijd kan ze zich niets meer van hem herinneren. Ook niet of hij een fiets bij zich had. Dus hoe betrouwbaar is haar verklaring?'

'Dat is inderdaad de vraag...'

'Feitelijk zijn er twee aanwijzingen naar de dader. Eén: Naomi heeft hem gezien op het Mercatorplein. Twee: de buschauffeur heeft hem gezien,' zei Plessen op belerende toon. 'Hun omschrijvingen komen op geen enkele manier overeen en er zijn geen anderen die de verklaringen kunnen onderstrepen.'

Verveer knikte. Hij wist dat dit niet het moment was om zijn collega te onderbreken.

'Dan hebben we nog de kwestie van de verdwenen fiets en het feit dat Van der Zande de alarmlijn niet heeft gebeld.' Plessen zweeg abrupt.

'Is er iets?' vroeg Verveer.

'Haal jij nog even een mokka frappuccino voor me?'

Vier euro, dacht Verveer. Alsof het niets is. 'Natuurlijk,' zei hij. Toen hij even later terugkwam met het drankje, vroeg Plessen: 'Neem je zelf niks?'

'Ik ben op dieet,' zei Verveer.

Plessen nam een slok van haar frappuccino en keek gelukzalig. 'Iedere calorie waard.'

'Over de zaak...' zei Verveer.

'Ja, de zaak.' Er zat een likje slagroom op haar bovenlip. 'Ik denk dat we Naomi moeten confronteren met de buschauffeur. Al zou ik haar het liefst zoveel mogelijk met rust laten. Maar zij is het enige wat we hebben op dit moment.' Ze stak haar beker uit naar Verveer. 'Slokje?'

'Nee, dank je.' Hij keek ernaar alsof ze hem gif had aangeboden.

'Van één slokje word je echt niet dik.'

'Ik hou er gewoon niet zo van.'

14

Zoals altijd stapte Kevin om vijf over negen de bus in. Bij wijze van begroeting zei hij: 'U bent vijfenveertig seconden te laat.'

'Lul niet,' zei Albert. 'Ik moet je iets vragen.'

Kevin leek van zijn stuk gebracht. 'Niemand vraagt mij ooit iets.'

'Dan wordt het hoog tijd. Ik heb je nodig.'

Kevin werd rood. 'Misschien moet ik u vertellen dat ik speciaal onderwijs heb genoten, maar mij werd afgeraden om door te studeren, alhoewel ik veel aan zelfstudie doe. Maar dan alleen onderwerpen die mij interesseren. En dat zijn er hooguit drie. Ik vertel dit zodat u weet dat u niet te veel van mij kunt verwachten. Sowieso weet ik weinig van sociale interacties. Dus als u advies wilt over bijvoorbeeld een relatieprobleem, dan moet u niet bij mij zijn.'

'Ik heb een heel simpele vraag,' zei Albert. Hij gebaarde naar de ongeduldige passagiers die achter Kevin stonden dat ze nog even moesten wachten.

Kevin keek op zijn horloge. 'U had vijftien seconden geleden moeten vertrekken.'

'Wat zou jij ervan vinden om eens iets anders te spotten dan vliegtuigen?' vroeg Albert.

'Vliegtuigen zijn mijn grote hobby. Ik weet alles van vliegtuigen.'

'Maar zou je niet eens iets anders willen spotten? Ik bedoel, als je eenmaal een vliegtuig hebt zien landen of opstijgen, dan heb je ze allemaal gezien. Toch?'

'Ik houd de vluchtschema's minutieus bij,' zei Kevin. Hij haalde een logboek uit zijn tas. 'Hierin staat iedere vliegbeweging op de Buitenveldertbaan tussen 9.45 uur en 16.50 uur op werkdagen van de laatste drie jaar.' Er klonk trots in zijn stem.

'Kunnen we instappen, alstublieft?' vroeg een stewardess die achter Kevin stond te wachten. Albert had haar vaker gezien, ze droeg altijd een enorme Rolex, die ze ongetwijfeld bij elkaar had gepijpt op de wc van de businessclass.

'Even geduld, Goudlokje,' zei Albert.

Kevin keek paniekerig om zich heen. 'Mag ik eerst op mijn plaats zitten?'

'Oké,' bromde Albert, 'als je dat fijner vindt. We hebben het er onderweg wel over.'

De andere passagiers stapten in, van wie een paar hem verwijtende blikken toewierpen, die Albert beantwoordde met zijn chagrijnigste gezichtsuitdrukking. Daarna reed hij weg in de richting van de Lodewijk van Deysselstraat.

Na een minuut vroeg Kevin: 'Wat wilt u dat ik ga spotten, chauffeur?'

'Ik hoopte al dat je dat zou vragen,' zei Albert. 'Zou je een mens voor me willen spotten?'

'Een mens,' zei Kevin. Er klonk zowaar verbazing in zijn normaal zo vlakke stem door.

'Ja, een mens,' zei Albert. 'Er is iemand die hoognodig gespot moet worden. Alleen ben ik zelf aan het werk op de bus, dus kan ik het moeilijk zelf doen. En aangezien jij toch niets beters te doen hebt...'

'Ik moet mijn logboek bijhouden.'

'Sorry,' zei Albert. 'Natuurlijk. Ik snap dat dat heel belangrijk voor je is. Maar kan niet iemand anders dat logboek een weekje bijhouden? Er zijn toch andere vliegtuigspotters die er ook iedere dag staan?'

'Ik kan niet iemand anders in mijn logboek laten schrijven.'

'Dan vraag je of je later de gegevens mag overschrijven. Luister, zou jij een weekje bij een dierenwinkel willen... ehm "werken"? Net zo lang tot je een man met rossig haar, opvallend lichte ogen en een grote neus met een enorme vracht vogelvoer naar buiten ziet gaan? Dan achtervolg je hem, bel je mij om door te geven waar hij naartoe gaat en dan neem ik het over. Goed?'

'Ik ben slecht in gezichten,' zei Kevin.

'Geloof me, deze man is bijna niet te missen.' Albert reed net iets te hard over een verkeersdrempel. Er ging een golf van verontwaardiging door de bus. 'Sorry,' riep hij. 'Klachten kunt u schriftelijk in tweevoud indienen bij het management!'

'Deze man herken jij echt. Dat weet ik zeker.' Albert richtte zich weer tot Kevin. 'Zie het als een training. Dat vliegtuigspotten heb je nu wel onder de knie. Zou het niet geweldig zijn om een nieuwe vaardigheid te leren?'

‘Ik weet het niet. Dat zou ik moeten overleggen met mijn moeder.’

‘Dat moet je juist niet doen,’ zei Albert. ‘Hoe leuk zou het zijn als je haar kunt verrassen? Dat je binnen nu en een week thuis kunt komen en kunt zeggen: hé mam, ik kan nu ook mensen spotten? Ik denk dat ze heel trots op je zou zijn.’

‘U kent mijn moeder niet.’

‘Ik ken wel moeders in het algemeen, ik zie ze natuurlijk de hele dag door in de bus, en die zijn altijd trots als hun kind iets nieuws leert. Dat weet ik zeker.’

‘Denkt u? Mijn moeder zegt altijd dat ze alles goedvindt, als ik maar niet in de problemen kom.’

‘Je komt zeker niet in de problemen,’ beloofde Albert plechtig.

15

Naomi hoorde haar ouders de kamer uit lopen. Ze had de hele ochtend gedaan alsof ze sliep. Bezorgd gefluister, bloemen die werden binnengebracht, medisch personeel dat haar controleerde en de ondersteek onder haar billen schoof; ze wilde er niets mee te maken hebben.

Ze moet blij zijn dat ze nog leeft. Dat had ze al een paar keer om zich heen horen zeggen. Ze had nooit nagedacht over leven na de dood, behalve dan in kinderlijke fantasieën over engelen in witte gewaden met gouden stralenkransen. Ze zou niet kunnen beweren dat ze een bijna-doodervaring had gehad, met een lange tunnel of iets dergelijks, maar ze was zich wel bewust geweest van een vredige plek in een andere dimensie. Als ze nu dood was geweest, dan was ze daar nu. Dan zou ze zich niet hoeven afvragen of de mensen ooit weer normaal tegen haar zouden doen. Hoe haar gezicht eruit zou komen te zien. Of ze ooit nog aangeraakt zou willen worden door een man.

Ze was altijd zo zelfverzekerd geweest. Heel anders dan haar vriendinnen, die twijfelden over hun figuur en zich afvroegen wat ze wilden in het leven, of jongens hen wel aantrekkelijk vonden, wat ze aan moesten trekken, of rode lippenstift hen wel goed stond, of ze wel de juiste studie hadden gekozen, of ze een jaar zouden gaan reizen, of een legging nog kon, en al dat soort zaken. Naomi kende die gevoelens helemaal niet. Ze was zich altijd bewust geweest van haar schoonheid en haar capaciteiten. Haar gebrek aan twijfel werkte nu juist tegen haar: ze wist heel zeker dat het nooit meer goed zou komen.

Misschien had ze niet gered moeten worden.

Verveer en Plessen namen de ouders van Naomi apart in een bespreekkamer van het ziekenhuis, om hen op de hoogte te brengen van de nieuwste ontwikkelingen. Naomi zelf was sinds het incident op de wc niet meer aanspreekbaar.

'Vooralsnog hebben we weinig aanwijzingen,' vertelde Verveer. 'Er is zoals u weet één getuige...'

'Die buschauffeur op het balkon,' zei Naomi's vader.

'De buschauffeur,' bevestigde Verveer. 'Al lijkt hij weinig bruikbare informatie te kunnen geven. Inmiddels is er DNA bij hem afgenomen; we wachten op de uitslagen.'

'Waarom is er bij hem DNA afgenomen?' vroeg de moeder.

'Zien jullie hem als mogelijke dader?' vroeg de vader.

Verveer en Plessen keken elkaar aan. 'We mogen in dit stadium niets uitsluiten,' zei Verveer voorzichtig.

'Het zou fijn zijn als we uw dochter nog wat vragen konden stellen,' zei Plessen. 'Met een beter signalement kunnen we een nieuwe compositietekening maken. Ook zijn er vast nog andere details die kunnen helpen bij het onderzoek. Het enige wat we nu weten is afkomstig van de buschauffeur, en we kunnen nog niet vaststellen in hoeverre hij betrouwbaar is.'

De vader staarde naar een poster van de Flying Doctors aan de muur.

'Het gaat heel slecht met haar,' zei de moeder. Ze deed haar best om niet te gaan huilen. Haar man legde beschermend een arm om haar schouder.

'Dat weten we.' Verveer vond het altijd lastig om de afweging te maken tussen piëteit voor het slachtoffer en het belang van het onderzoek. En in dit geval was het bijna onmogelijk om een juiste balans te vinden.

Plessen wachtte tot de moeder weer wat gekalmeerd was. 'We zijn enorm begaan met uw dochter. Maar juist daarom willen we voorkomen dat deze man meer slachtoffers maakt. Helaas hebben wij uw dochter daar hard voor nodig.'

Naomi's ouders keken elkaar aan. 'Het laatste wat we willen is de situatie van Naomi verslechteren,' zei de vader.

'Misschien moeten we het morgen proberen,' zei de moeder. 'Als ze een goede nacht heeft gehad, kan ze het morgen weer wat beter aan.'

Verveer probeerde zijn teleurstelling te onderdrukken. 'Ik zal eerlijk tegen u zijn. We zitten behoorlijk vast. De enige mogelijke verdachte, en let wel, met de nadruk op "mogelijk", die we hebben is de buschauffeur, en hoe eerder we hem kunnen uitsluiten, hoe beter.'

'We zullen Naomi niet onnodig onder druk zetten,' zei Plessen snel toen ze de reactie van de ouders zag.

De vader en moeder van Naomi keken elkaar aarzelend aan. 'Misschien als het vanmiddag...' zei de vader.

'We kijken vanmiddag hoe het gaat,' zei de moeder. 'Maar we beloven u niets.'

Haar ouders waren aan weerszijden van het bed komen zitten en fluisterden met elkaar. 'Zal ik haar wakker proberen te maken?' vroeg haar moeder.

'Ik weet het niet.' Er klonk oprechte hulpeloosheid in de stem van haar vader. 'Misschien moeten we haar zo min mogelijk storen.'

Naomi overwoog heel even om haar ogen open te doen, zodat haar ouders zich misschien iets beter zouden voelen, maar ze kon het niet opbrengen.

'Als ik eraan denk hoe het had kunnen aflopen als die man niet langs was gefietst,' zei haar vader met bevende stem.

'Wat hebben we dat al vaak tegen elkaar gezegd,' zei haar moeder. Naomi zag door haar oogharen dat ze over het bed heen elkaars hand vasthielden. Ze overwoog om duidelijk te maken dat ze wakker was en alles hoorde, maar had er niet de energie voor.

16

Albert werd weer gebeld door de politie. Hij had al een paar gemiste oproepen gezien op zijn schermpje, maar had expres nog niet teruggebeld. Toen ze voor de vijfde keer belden, was het hem duidelijk dat hij er niet onderuit zou komen. Hij kon maar beter opnemen, ook al was hij aan het rijden, voordat ze er iets achter zouden zoeken.

Het was die trut van een vrouwelijke rechercheur weer. Of ze vanmiddag na zijn werk even langs mochten komen om de situatie ter plekke te bekijken.

Albert dacht aan Ans, die ongetwijfeld haar klep niet zou kunnen houden.

'Is halfzes goed?'

Ans zou dan zeker thuis zijn, omdat ze altijd om zes uur het eten op tafel wilde hebben. Voordat Albert iets terug kon zeggen, zei Plessen: 'Goed, we zien u om halfzes.' En meteen daarna hing ze op.

'Godverdomme,' zei Albert hardop. Hij keek in zijn grote achteruitkijkspiegel en zag een vrouwtje met zo'n trekkar op de eerste rij geschokt naar hem kijken. Albert had een hekel aan die boodschappenkarretjes. Ans had er ook een. 'Zo handig voor op de markt.' Albert had ook een hekel aan de markt.

'Godverdomme,' zei Albert nog een keer, gewoon om dat vrouwtje te sarren. Ze wendde haar gezicht af en deed alsof ze uit het raam keek. Omdat Albert even niet op de weg had gelet, moest hij boven op de rem staan voor een overstekend meisje.

Om vijf uur kwam hij thuis. Ans zat voor de televisie een of ander dom programma te kijken. Albert liep de woonkamer in, pakte de afstandsbediening en zette de tv uit.

'Wat heb jij?' vroeg Ans.

'De politie komt zo. Beter als jij even weggaat.'

'Waar slaat dat nou weer op? Ten eerste, wat hebben ze hier te zoeken en ten tweede waarom moet ik dan weg? Ik woon hier net zo goed als jij, hoor. Sterker nog, ik breng hier heel wat meer uurtjes door dan jij. Jij komt alleen maar binnen om te eten en te slapen. Ja, en om op dat verdomde balkon te zitten.'

'Kun je niet naar Mia gaan?'

'Die ziet me aankomen rond etenstijd.'

'Het is toch je beste vriendin?'

'Dus?'

'Mens, ga nou naar Mia.'

'Je kan de pot op.' Ans griste de afstandsbediening uit zijn hand en zette de televisie weer aan.

Albert ging naar de badkamer om zijn oksels te wassen. Hij was de hele dag al zo zweterig. Ze moesten vooral niet denken dat hij nerveus was. Daarna pakte hij een schoon, door Ans tot in perfectie gestreken overhemd en liep terug naar de woonkamer.

De televisie stond uit. Hij nam aan dat Ans aan het koken was, maar ook in de keuken was ze niet te vinden.

'Ans?' Hij keek voor de zekerheid nog even op het balkon en in het halletje.

Mooi, dacht hij toen.

Ze waren met z'n tweeën. Verveer en een andere knakker. Gelukkig niet dat wijf. Ze hadden nog geen voet over de drempel gezet of ze begonnen al om zich heen te loeren.

'Willen jullie koffie?' vroeg Albert. Hij had besloten om zo aardig mogelijk te doen.

'Nee, dank u,' zei Verveer. 'Zouden we eerst het balkon mogen bekijken?'

'Natuurlijk.' Albert ging hun voor.

Ze keken naar de plastic tuinstoel met het kussentje erin en de overvolle asbak en Verveer vroeg: 'Zit u hier veel?'

'Regelmatig.'

Verveer ging op de stoel zitten en keek uit over het fietspad. Zijn collega bleef naast hem staan. Albert stond in de deuropening te wachten. Een tijdlang werd er niets gezegd.

'U kunt het fietspad helemaal niet zien vanaf hier,' zei Verveer toen. 'Daarvoor zit u te laag.'

'Ik hoorde geschreeuw en ben toen gaan staan om te kijken.'

'Dat is vreemd...' Verveer staarde peinzend voor zich uit, alhoewel hij al lang wist wat hij ging zeggen. 'Tegen de heer Jacobs en het slachtoffer hebt u gezegd dat u alles heeft gezien.'

'Ik heb niet gezien dat het meisje van de fiets af werd getrokken. Ik hoorde geschreeuw en ben toen opgestaan om te kijken wat er aan de hand was.'

'En heeft u de dader weg zien vluchten?'

'Nee.'

'Waarom niet?'

Albert aarzelde en ging na wat hij eerder tegen de politie had gezegd. Had hij nou gezegd dat hij binnen was gebleven of dat hij weer naar buiten was gegaan? 'Ik was binnen,' zei hij toen. 'Ik dacht dat het alweer over was.'

'Maar waarom bent u daarna dan weer naar buiten gegaan?'

'Ik hoorde Jacobs tegen het meisje praten. Toen pas zag ik wat er echt aan de hand was.'

Verveer keek Albert nu strak aan. 'Ik zal maar eerlijk tegen u zijn. We hebben een beetje moeite met uw verhaal.'

Albert voelde het bloed naar zijn hoofd stijgen, al wist hij niet precies waarom. 'Nou, dat is dan heel jammer,' bracht hij uit.

'Dat is wel een hele typische reactie.'

De andere rechercheur mengde zich nu ook in het gesprek. 'Meneer Van der Zande, als wij bij u in de kast zouden kijken, zouden wij dan bergschoenen vinden?'

'Bergschoenen? Wat heeft dat ermee te maken?'

'Of werkschoenen... schoenen met een grove profielzool.'

'Ik heb wel een paar werkschoenen, ja.'

'Mogen we die zien?'

Albert wist niet of hij er verstandig aan deed, maar tegelijkertijd besefte hij dat er geen weg meer terug was.

'Oké.'

'Kunt u ze nu even halen?'

Albert liep naar de slaapkamer en vond achter in de kast zijn werkschoenen. Ze waren een beetje stoffig. Hij droeg ze nog maar zelden. De laatste keer was geweest toen hij zijn zwager had geholpen met het uitbreken van een tussenmuur, alweer zes jaar geleden.

Toen hij terugkwam, stonden de rechercheurs in de woonkamer. Ze keken naar de foto van hem en Ans. 'Is uw vrouw niet thuis?'

'Ze is even bij een vriendin.' Hij bleef daar een beetje lullig staan met die schoenen in zijn handen.

Verveer gebaarde dat hij ze wilde zien. Albert gaf hem de schoenen.

'Vindt u het goed als we ze meenemen?'

'Waarvoor?'

'Voor nader onderzoek.'

'Onderzoek van wat?'

'We vergelijken voetafdrukken op de plaats delict.'

'Die moeite kunt u zich besparen. Ik heb deze schoenen in geen jaren meer gedragen.'

'Dat bepalen we liever zelf. U hoort nog van ons.'

Toen ze weg waren, was het zes uur. Albert voelde zijn maag samentrekken. Hij hoopte maar dat Ans snel thuis zou komen om te koken.

Maar om halfzeven was ze er nog steeds niet. Albert belde naar haar mobiel, maar ze nam niet op.

Om kwart voor zeven hoorde hij eindelijk de sleutel in het slot omdraaien. Hij moest toegeven dat hij opgelucht was.

Hij ging snel op de bank zitten en deed alsof hij de krant las. Aan haar voetstappen hoorde hij dat ze nog steeds boos was.

'Zo, was je er eindelijk weer,' zei hij omdat zij zelf niets zei. 'Wat dacht je, die ouwe Albert redt zich wel?'

Ze antwoordde niet. Hij keek op van de krant. Ze zag er niet uit. Wit gezicht, trillende handen.

'Wat is er?'

'Wat er is... wat er is...' Ook haar mond trilde, zag hij nu. 'Jij wilde mij niet meer! Je hebt me het huis uit gezet.'

'Natuurlijk niet, mens. Ik zei alleen maar dat je even weg moest. Dat is toch niet zo raar?'

Hij realiseerde zich dat hij Ans zeker al twintig jaar niet meer had zien huilen. Misschien moest hij proberen wat aardiger tegen haar te doen. 'Ga nou even rustig zitten, raar wijf. Ik heb laatst toch ook bloemen voor je meegebracht? Misschien moet je gewoon lekker een bakje koffie nemen. Knap je van op.'

Albert wachtte tot ze naar de keuken zou lopen, maar bedacht toen dat het misschien wel aardig zou zijn als hij koffie voor haar zou zetten. Toen hij terugkwam in de woonkamer zat Ans nog op de bank. Hij zette het kopje en een glaasje water voor haar neer. Ans nam een slok van haar koffie.

'Godvergloeiende, die koffie is hartstikke heet,' snauwde ze. 'Je weet toch dat je er altijd een scheutje water bij moet doen?'

'Hè hè, het gaat alweer met je,' zei Albert. 'Gelukkig maar.'

17

Kevin zat aan de andere kant van de straat, tegenover de dierenwinkel. Hij had zijn klapstoel meegenomen, een thermosfles koffie en zijn notitieboekje. Al snel kwam hij erachter dat het spotten van mensen toch wat anders was dan het spotten van vliegtuigen. Bij de vliegtuigen kon hij tevoren op een *flight tracking*-app zien wat er binnen zou komen. Hooguit was er hier en daar een afwijking. Mensen waren per definitie afwijkend. Ze kwamen niet volgens een *flight pattern* binnen en ook de duur van hun verblijf in de winkel liep nogal uiteen.

En in plaats van toesteltype, maatschappij en vluchtnummer moest hij nu veel meer variabelen noteren: geslacht, kleur haar, lengte, postuur, kleding. Het was al met al een stuk gecompliceerder dan hij had ingeschat. Het maakte hem nerveus, maar tegelijkertijd nam hij bij zichzelf ook een lichte opwinding waar.

Tegen het einde van de ochtend had hij al zestien pagina's volgeschreven. Hij belde Albert om verslag uit te brengen.

'Negen punt tien uur: vrouw, blond, al dan niet natuurlijk, geschatte leeftijd tweeënveertig, geschatte lengte: een meter negenenzestig, mollig, beige zomerjas, verblijfsduur: twaalf minuten. Kans dat zij de dader is: nul procent,' dreunde Kevin op. 'Negen punt nul zes uur: man, kaal, zwart poloshirt, geschatte leeftijd zesentwintig, lengte...'

'Ja, ho maar,' onderbrak Albert hem. 'Je hoeft niet alles van iedereen op te schrijven. Je moet gewoon opletten of die rare knakker komt.'

'Ik moet toch spotten?' vroeg Kevin.

'Ja, maar dan hoef je toch niet alles op te schrijven?'

'Juist het documenteren van alle relevante feiten is een wezenlijk onderdeel van de juiste uitoefening van deze activiteit,' zei Kevin met zijn robotstem.

'Maar heb je iemand gezien die voldoet aan het signalement?' vroeg Albert.

'Nee,' zei Kevin. 'Dan bel ik, chauffeur.'

'Zeg maar Albert.'

'Liever niet, chauffeur.'

Kevin nam een pauze van precies veertien minuten, zoals hij dat had afgesproken met Albert. Zijn nieuwe taak drukte zwaar op hem. Hij wilde het vooral niet verpesten. Albert had hem niet precies uitgelegd wie de man was die ze zochten, maar wel gezegd dat hij gevaarlijk was. En als de chauffeur dat zei, dan geloofde Kevin dat.

Nadat hij in een café een glas cola had gedronken en naar de wc was gegaan, liep hij met de klapstoel en de thermosfles onder zijn arm terug naar zijn plek. Hij zette zijn stoel neer, ging zitten en hoopte maar dat hij niet al te veel had gemist.

Hij zat nog maar net of een oudere vrouw kwam naar hem toe gewandeld achter haar rollator. 'Wat ben je aan het doen, jongen?' vroeg ze.

'Ik ben aan het spotten,' zei Kevin.

'Wat is dat?'

Kevin liet haar zijn notitieboekje zien. 'Ik registreer in- en uitgaande stromen rondom de dierenwinkel, inclusief variabelen. In opdracht van de buschauffeur.'

Er kwam een vrouw met een hondje naar buiten. Het was een ongewoon knappe vrouw voor dit deel van de stad. Lang golvend bruin haar, een goed figuur in een strak T-shirtje.

'Welke buschauffeur?' vroeg de vrouw met de rollator. 'En waarom dan?'

'Ik moet weer verder,' zei Kevin tegen haar. Hij begon ingespannen de laatste gegevens te noteren, net zo lang tot de vrouw was afgedropen.

Toen hij weer opkeek van zijn notitieboekje, werd zijn aandacht getrokken door een man aan de overkant van de straat. Halverwege de dertig, rossig, warrig haar, een opvallend grote neus. Kevin bladerde terug naar de eerste bladzijde van zijn notitieboekje. Daar had hij de omschrijving van de chauffeur opgeschreven. Tot nu toe kwam alles overeen. Het enige wat Kevin niet kon vaststellen was de kleur van de ogen.

De man stond op het punt om de winkel in te gaan. De chauffeur had gezegd dat hij pas moest bellen als het signalement compleet was, en nu miste hij de ogen nog. Er was hem niet verteld wat hij moest doen bij ontbrekende criteria. Hij kreeg het opeens erg warm. Een stressreactie. Dat wist hij, omdat hij dat had geleerd in therapie. Hij moest te weten komen hoe de ogen van deze man eruitzagen, maar hoe?

Kevin haalde diep adem, balde zijn handen tot vuisten, sloot zijn ogen en riep: 'Hé!'

Toen Kevin zijn ogen weer durfde te openen, stond de man aan de overkant van de straat naar hem te kijken. Ook een vrouw met een kinderwagen en een man in een overall keken naar hem, maar dat achtte Kevin niet relevant.

Er was iets vreemds aan de ogen van deze man. Kevin probeerde een analyse te maken. 1. Ze waren een ongewoon bleekblauw; 2. De man knipperde nauwelijks; 3. Hij had witte wimpers en wenkbrauwen.

Kevin wendde snel zijn blik af. Hij hield niet van oogcontact. Hij wist nu vrijwel zeker dat hij de juiste persoon had gespot en hoopte dat de man snel naar binnen zou gaan, zodat hij de chauffeur kon bellen.

'Wat wil jij?' vroeg de man vanaf de overkant.

Kevin begon door zijn notitieboekje te bladeren, in de hoop dat de man hem met rust zou laten.

'Jij, jongen. Wat wil jij?'

Kevin keek schuin langs de man naar de witte konijnen die in de etalage van de dierenwinkel rondscharrelden. Hij verlangde opeens erg naar de wind die je langs je gezicht voelde razen als er een vliegtuig opsteeg of landde. De McDonald's waar hij iedere dag tussen de middag een milkshake bestelde en waar ze het goedvonden dat hij zijn boterham met kaas in het restaurant opat. De voldoening die hij voelde als ieder vliegtuig zich aan het schema had gehouden. Dit mensen spotten was niks voor hem. Zijn moeder had gelijk. Hij moest vooral niets nieuws proberen. Gewoon doorgaan met de dingen waar hij goed in was.

Vanuit zijn ooghoek zag hij de man met de lichte ogen nog

steeds naar hem kijken. Onwillekeurig voelde Kevin zijn handen bewegen. Het was lang geleden dat hij voor het laatst had gefladderd, zoals zijn moeder en zijn therapeuten dat noemden. Hij deed het als hij zich onveilig voelde. Ook dat was hem door anderen uitgelegd. Zelf was hij niet goed in het benoemen van gevoelens. Hij wist alleen wanneer hij zich oké voelde en wanneer niet en op dat moment sloeg de meter duidelijk uit naar 'niet'.

De man stond nog steeds naar hem te kijken, zes tergend trage seconden lang, en stapte toen de dierenwinkel binnen.

Albert reed vanaf Meer en Vaart richting het Antoni van Leeuwenhoek-ziekenhuis. Het bezoekuur zou over een kwartier beginnen en hij herkende de gespannen gezichten en de treurige bosjes bloemen.

Hij voelde zijn telefoon trillen in zijn broekzak en keek snel op het scherm: Kevin.

'Wat?' snauwde hij door de telefoon.

'Ik heb hem gespot,' zei Kevin. 'Hij is net de dierenwinkel binnengegaan.'

'Nu net?'

Kevin keek op zijn horloge. 'Drieëntwintig seconden geleden.'

Albert keek in zijn achteruitkijkspiegel. Hij schatte dat er twintig mensen in de bus zaten. Even aarzelde hij. Toen trapte hij op de rem. 'Allemaal uitstappen,' zei hij door de intercom. Hij ontgrendelde de deuren.

Niemand verroerde zich.

'Allemaal uitstappen,' zei hij nog een keer. 'Dit is een noodgeval.'

'Dit kunt u niet maken,' zei een passagier op de voorste rij. Albert had hem weleens vaker gezien. Het was een dik mannetje dat altijd keurig gepoetste schoenen droeg. Hij sprak alsof hij het Algemeen Beschaafd Nederlands zelf had uitgevonden.

'Oprotten!' schreeuwde Albert door de intercom. 'Nu!'

De man sloeg zijn armen over elkaar en bleef zitten, met een verbeten uitdrukking op zijn gezicht.

Opeens leek iedereen haast te hebben. Mensen verdrongen zich voor de deuren. Albert hoopte maar dat er geen gewonden zouden vallen. Alleen het mannetje van de voorste rij bleef zitten.

'Jij ook,' zei Albert over zijn schouder.

'Ik ga helemaal nergens naartoe.'

'Dan moet je het zelf maar weten.' Albert trapte op het gaspedaal en zette koers naar de Bos en Lommerweg.

Ondertussen ging de telefoon weer.

'Ja,' snauwde Albert.

'Hij verlaat nu de dierenwinkel, chauffeur.'

'Erachteraan,' blafte Albert. 'En blijf aan de lijn, zodat ik precies weet waar je bent.'

'Waar gaan we naartoe?' vroeg het mannetje.

'Jij moet je kop houden,' zei Albert. Hij reed inmiddels met zeventig kilometer per uur over de busbaan. Er was geen weg meer terug. Als hij de dader niet te pakken zou krijgen, zou hij ongetwijfeld zijn baan kwijt zijn. Het was alles of niets.

'Waar ben je, Kevin?'

Kevin zei niets terug.

'Kevin!' schreeuwde Albert door de telefoon. 'Kevin, laat wat van je horen.'

Hij hoorde aan de ingesprektoon dat Kevin had opgehangen.

18

Albert zette de bus stil voor de dierenwinkel. Aan de overkant van de straat zag hij een lege klapstoel. Levensmoeë witte konijnen in de etalage. Verroeste fietsen die aan een lantaarnpaal waren vastgemaakt. Hoe kon hij in godsnaam achterhalen waar Kevin naartoe was gegaan?

'Verdomme,' zei Albert nog maar eens.

'Wat was nou precies het noodgeval?' vroeg het mannetje in de bus. 'Is het kattenvoer op?'

'Houd je kop,' zei Albert. Hij keek op zijn horloge. Het was acht minuten geleden dat hij Kevin aan de telefoon had gehad. Hij kon werkelijk overal zijn. Wat moest hij doen? Rondjes door de buurt gaan rijden? Albert belde nog een keer Kevins nummer. Nu werd hij meteen doorgeschakeld naar de voicemail. 'Verdomme!'

'Gaat je vrouw vreemd?' vroeg het mannetje. 'Is dat het?'

'Was dat maar waar,' zei Albert. Hij voelde een intense vermoeidheid over zich heen komen. Ergens in zijn leven had hij een verkeerde afslag genomen. En nu stond hij hier, met een fokking stadsbus in de verkeerde straat. Hij zou Kevin nooit vinden, hij zou de dader nooit vinden. En na vandaag zou hij ongetwijfeld zijn baan kwijt zijn en daarmee zijn leven. Wat moest hij? Hele dagen naast Ans op de bank zitten, of nog erger: naar de markt gaan en op de koffie bij Mia. Ooit had hij zoveel in zijn mars gehad. De havo gedaan nota bene, verkering gehad met het mooiste meisje van de klas, een goede baan als vertegenwoordiger. Wat was er mis met hem dat hij niet in staat was om ook maar iets vast te houden?

Er werd tegen de voorste deur getikt.

Albert zuchtte diep. Er stond een oudere vrouw met een rollator. Waarschijnlijk wilde ze een ritje naar de supermarkt. Ze tikte nog een keer.

Albert drukte op de ontgrendeling. 'Ja,' snauwde hij.

'Zoekt u die jongen?' vroeg ze.

Het duurde even voordat de woorden tot Albert doordrongen.

'De jongen die mensen aan het spotten was?'

'Ja, die zoek ik. Hoe weet u dat?'

'Hij had het over een buschauffeur.'

Albert bekeek de vrouw eens wat beter. Ze leek een beetje op dat oude vrouwtje uit die detectiveserie waar Ans zo graag naar keek. Zo'n smal gezicht met heldere blauwe ogen. O ja, Miss Marple.

'Weet u waar hij is?'

De vrouw wees in de richting waar Albert vandaan kwam. 'Hij liep de straat uit. Achter de Viking aan.'

'De Viking?'

'Ja, die komt hier regelmatig vogelvoer halen. En vogels trouwens ook.'

'U kent hem?'

'Het is een opvallende verschijning. Maar kennen, nee.'

'O.' Albert voelde het kleine beetje hoop alweer wegebben. 'Nou, dat schiet dan ook niet op.'

'Kun je me nou eindelijk vertellen wat er aan de hand is?' vroeg het mannetje. Albert was al bijna vergeten dat hij nog in de bus zat.

'Ik zoek die kloterige Viking,' snauwde Albert. 'Ik moet weten waar hij woont.'

'Maar dát weet ik wel.' De vrouw nam plaats op het zitje van haar rollator, alsof ze van plan was een uitgebreide conversatie op te starten.

'Waarom zegt u dat dan niet meteen?'

'U vroeg toch of ik hem kénde? Nou, ik ken hem niet. Om iemand te kennen, moet je elkaar toch op z'n minst een paar keer hebben gesproken. Maar dat wil niet zeggen dat ik niet weet waar hij woont.'

'Ja, ik snap wat u bedoelt. Waar woont hij?' snauwde Albert.

'Vlakbij. De Schaapherderstraat.'

'Welk nummer?'

'Dat weet ik niet. Ik weet alleen dat een vriendin van mij hem in de Schaapherderstraat heeft gezien en wij beiden van mening zijn dat het een onfris type is. Hij kijkt naar uit zijn ogen. Als een koudbloedig roofdier.'

'Bedankt, daag!' Albert drukte de ontgrendelingsknop in en gaf gas.

Terwijl de bus begon te rijden, zei het mannetje: 'Kijk, een nieuwe vriendin gemaakt. Hoe fijn is dat?'

'Houd je kop,' zei Albert.

19

Hij voelde het niet altijd aankomen. De honger kon zomaar vanuit het niets bezit van hem nemen. Vaak net wanneer hij dacht dat het voorgoed voorbij was. Dat hij misschien zou kunnen leven als een normaal iemand met normale behoeften.

Ook nu had hij het weer geprobeerd. Hij had voor weinig geld een flat kunnen huren van een werkloze man die bij zijn vriendin woonde, maar zijn flat aanhield om voor een hogere uitkering in aanmerking te komen. Of Jens het erg vond dat hij zich niet kon inschrijven op dit adres? Nee, dat had Jens niet erg gevonden. Beter nog, het had zijn voorkeur. Er waren te veel mensen naar hem op zoek.

Hij had zowaar geprobeerd de flat gezellig te maken, met meubilair dat hij in Amsterdam-Zuid bij het grofvuil had gevonden. Twee vrijwel nieuwe stoelen, een eiken salontafel en een donkergrijze poef. Hij had ze op zijn rug mee naar Nieuw-West gesjouwd. Hij was sterk. Vroeger op school, toen hij nog in Zweden woonde, hadden ze hem altijd 'de beer' genoemd.

Nu was er niemand meer die hem ook maar iets noemde. Hij maakte niet graag contact met mensen. Bovendien was het beter om iedereen op afstand te houden. Ze konden maar beter niets over hem weten. Hij was drieëndertig jaar, maar had al op zesentwintig verschillende adressen gewoond, in vijf verschillende landen. Hij kon zich snel aanpassen. Leerde de taal van de televisie en de krant. Kon door zijn fysieke kracht makkelijk aan de slag als hovenier, verhuizer, klusjesman; alle rotkarweitjes waar mankracht voor nodig was en waar zwart werd uitbetaald. Het langste waar hij het ooit ergens had volgehouden was elf maanden. En dat was hier, in Amsterdam.

Hij had echt gedacht dat hij het zou redden. Hij was zelfs zo overtuigd geweest van zijn stabiliteit dat hij voor het eerst in zijn leven aan huisdieren was begonnen. Hij kon niet terughalen hoe hij op het idee was gekomen. Op een dag was hij langs de dierenwinkel gelopen en had hij het zomaar besloten. Eigenlijk had hij een hond gewild, maar die verkochten ze niet. Zijn oog was op parkieten gevallen. Kleine felgekleurde vogels die een hoop lawaai maakten.

Hij had eigenhandig een volière in elkaar gezet, veelal met materialen die hij had gevonden in puincontainers van mensen die aan het verbouwen waren. Het gaas en de vogels waren de grootste investering geweest. Hij was trots geweest dat hij voor het eerst in zijn leven iets moois had gecreëerd.

Totdat hij zichzelf er een paar weken geleden op betrapte dat hij weer aan het kijken was. Hij had zichzelf aangepraat dat het niets te betekenen had. Dat het oké was dat hij 's avonds in het donker met een paal in zijn broek achter meisjes aan fietste, soms helemaal tot aan hun huis. Hij deed toch niets verkeerd? Het was toch zijn volste recht om te fietsen waar hij wilde? De vorige keren was het anders geweest. Toen was hij zwak, ongelukkig, had hij niets gehad om voor te leven. Nu had hij zijn zaakjes beter voor elkaar en zouden het kijken en de fantasie genoeg voor hem zijn.

Natuurlijk wist hij ook wel dat hij beter thuis kon blijven, zich op zijn vogels moest concentreren. Hij zou zichzelf kunnen afleiden door de volière nog groter te maken. Meer vogels aan te schaffen. Broedhokken te plaatsen misschien, zodat hij zelf kon gaan kweken. Misschien zou hij de jonge vogels dan via internet kunnen verkopen en zo wat extra geld kunnen verdienen.

Op een middag zag hij Naomi fietsen. Het eerste wat hem was opgevallen, waren haar kleine ronde borsten, goed zichtbaar in het strakke shirtje dat ze droeg. Ze was precies het type meisje waar hij op viel: jong, slank, misschien nog net niet helemaal volgroeid. Hij had haar gevolgd naar het café waar ze werkte en had door het raam naar haar staan kijken. Hoe ze bijdehante klanten moeiteloos van repliek diende, hoe ze haar haar met een gemaakt nonchalant gebaar naar achteren gooide als ze iemand leuk vond, hoe ze schaamteloos lachte. Ze had iets extreem zelfverzekerds, iets wat hem fascineerde en woedend maakte tegelijkertijd.

Jens wist in zijn hart dat hij weg moest gaan. Niet alleen weg van deze plek waar hij haar ongezien kon observeren, maar weg uit de stad, uit het land zelfs. Maar tegelijkertijd was de aantrekkingskracht te sterk, de lust te groot.

Een tijdje was alleen het volgen voldoende geweest. Het viel hem op dat ze risico's nam. Alleen door donkere straten fietste, onder donkere viaducten door, langs het volkstuinencomplex.

Alsof ze erom vroeg. Alsof ze wilde dat iemand haar een keer goed zou pakken.

Hij begon zich voor te stellen hoe het zou zijn. Hoe hij zich van haar meester zou maken, haar mooie, zelfingenomen gezicht kapot zou maken, hoe het zou zijn als ze weerloos onder hem zou liggen.

En op een nacht had hij de kracht niet meer om het tegen te houden. Het moest gebeuren. Het was niet eens zo dat hij het echt wilde. Hij kón gewoon niet anders.

Hij had gedacht dat ze hem niet zouden kunnen vinden. Hij stond nergens geregistreerd. En ook al zouden ze kunnen herleiden dat hij Jens Andersson was, geboren in Hudiksvall, Zweden, in 1982, zoals ze dat twee jaar geleden in Duitsland hadden gedaan, dan nog zouden ze hem nooit kunnen traceren.

Als hij niet de domme fout had gemaakt om terug te gaan naar de plek waar het was gebeurd, om het nog een keer te zien, te herbeleven, had hij gewoon kunnen blijven. Kunnen bouwen aan zijn volière, klussen blijven doen, nog meer meubels vinden, misschien wel voor het eerst in zijn leven gelukkig zijn.

Hij was ooit eerder te lang blijven plakken. In Oslo, in juni 2009. Ze hadden hem bijna te pakken gehad toen. Hij wist dat het ook nu een kwestie van tijd was, en toch kon hij zich er bijna niet toe zetten om zijn spullen te pakken.

Een wild dier heeft een sterk instinct. Zo wist Jens meteen dat ze hem hadden gevonden toen hij de vreemde jongen met het aantekeningenboekje tegenover de dierenwinkel zag zitten; nog voor de jongen hem paniekerig aankeek, nog voordat hij hem begon te volgen.

Hij wist dat hij nu snel moest handelen. Hij sloeg de hoek om en dook achter de eerste de beste vuilcontainer. Hij zag dat de jongen stil bleef staan. Een slungelige, onzekere jongen. Telefoon aan zijn oor. Geen partij voor hem. Hij voelde zijn spieren aanspannen. Hij zou hem van achteren kunnen neerslaan en zijn lichaam achter de container kunnen slepen. Hij kon ook wachten tot hij weer wegging.

Kevin keek paniekerig om zich heen. 'Kevin!' hoorde hij de chauffeur door de telefoon schreeuwen. 'Kevin!' Hij dacht aan vliegtuigen. Hoe je ze in de verte als een wit stipje zag naderen, hoe ze langzaam dichterbij kwamen, steeds groter, steeds lager, tot ze over je heen vlogen met uitgeklapte wielen, klaar om te landen. Een heel enkele keer gebeurde er iets opwindends: een onverwachte windvlaag, een doorstart, maar dan nog was Kevin altijd in de rol van toeschouwer en administrateur, nooit in die van participant.

Hij hoorde weer de chauffeur door de telefoon schreeuwen. Hij dacht aan wat zijn therapeut hem had verteld: 'Als je het overzicht kwijt bent, neem dan een time-out. Doe een stap terug en wacht tot je weer rustig wordt.' Dus dat deed Kevin. Maar eerst zette hij zijn telefoon helemaal uit.

Jens keek vanachter de container toe hoe Kevin vijf stappen naar achteren zette, zijn ogen dichtdeed en zijn handen over zijn oren plaatste. Hij wiegde zachtjes heen en weer en begon te neuriën. Er zat geen melodie in, het was eerder een monotoon gebrom.

Het duurde even voordat Jens' adrenalinepeil was gezakt en plaatsmaakte voor verbazing. Wie was deze gek? En waar was hij in godsnaam mee bezig? Toen de jongen na een minuut nog steeds in zijn eigen wereld leek te zijn, besloot Jens om achter de container vandaan te komen. Eerst liep hij langzaam, zonder geluid te maken, iets waar hij heel bedreven in was. Zodra hij de straat uit was, begon hij te rennen. Hij wist dat hij moest opschieten. Wie deze halvegare ook mocht wezen, hij had iemand aan de telefoon gehad. Ze zouden hem binnen nu en een paar uur vinden. Hij wist het gewoon.

Veel spullen had hij niet om mee te nemen. Alles paste nog in de grote beige weekendtas waarmee hij was aangekomen. Geroutineerd smeet hij zijn spullen erin: kleding, twee handdoeken, een koekenpan, een steelpannetje, een kopje, een bord, een mes en een vork. Toen hij alles had ingepakt, keek hij nog eens goed rond of hij niets had laten liggen. Hij vond nog een pen, half weggeschoten onder de radiator, en een sok achter de deur van de slaapkamer. Daarna maakte hij een sopje en ging over de belangrijkste oppervlakken en de deurklinken. Helemaal vrij van DNA zou hij het niet krijgen, maar hij hoopte de meeste sporen te hebben gewist.

Al die tijd was hij zich bewust van het lawaai van de vogels. Zijn tweeënveertig vogels, die hij met zoveel liefde en plezier had verzorgd. Zij hadden hem op het rechte pad moeten houden, de duisternis uit zijn systeem moeten krijsen, maar ze hadden daar jammerlijk in gefaald.

Hij overwoog of hij ze gewoon zou laten zitten. Ongetwijfeld zou er een goed adres voor ze worden gezocht. Er waren altijd wel mensen die vogels wilden hebben, hele vogelopvanghuizen waren er, ze konden altijd ergens terecht. Hij bleef voor de volière staan en staarde ernaar. Hij voelde een diep verdriet, zoals hij dat nog nooit had ervaren. Hij nam een besluit. Als hij zijn huis kwijt was, waren de vogels dat ook. Met een stuk wc-papier om zijn hand opende hij het raam en zette de volière open. Alsof ze wisten wat er van ze verwacht werd, wipten de parkieten een voor een eruit en vlogen door het open raam naar buiten.

Kevin haalde zijn handen van zijn oren en keek om zich heen. Hij voelde zich weer helemaal rustig. Vroeger kostte het hem uren, tegenwoordig had hij meestal niet meer dan een minuut nodig. Zijn moeder zou trots op hem zijn geweest, al zou hij haar dit nooit kunnen vertellen. Hij zag de man met het rossige haar de hoek om rennen.

Hij bedacht zich geen seconde en ging hem achterna. De man kon hard rennen, maar dat kon Kevin ook. Hij was in uitstekende conditie, dankzij dagelijkse training in vechtsporten.

Na een paar minuten, Kevin was niet eens buiten adem, sloeg de man een voetpad tussen twee flats in. Hij stopte bij de middelste flat, haalde een sleutel uit zijn zak en ging naar binnen.

Kevin bleef staan en wachtte exact twee minuten om er zeker van te zijn dat de man niet terug zou komen. Daarna liep hij naar het portiek om te kijken welk huisnummer de man naar binnen was gegaan. Er bleken zes mogelijkheden te zijn: drieënzestig, vijfenzestig, zevenenzestig, negenenzestig, eenenzeventig en drieënzeventig.

Hij krabde zich even op het hoofd. Kevin hield niet van incomplete informatie. Daar raakte hij van in de war. Het enige wat hij nu kon doen was wachten tot er iemand naar buiten zou komen of naar binnen zou gaan, zodat hij kon vragen of ze wisten waar de man met het rossige haar woonde. En pas dan zou hij de chauffeur bellen.

Kevin ging op het trapje zitten. Hij dacht aan de laatste keer dat hij aan de Buitenveldertbaan had gestaan en herhaalde in zijn hoofd alle vliegbewegingen van die dag. Het was zijn favoriete bezigheid als hij niet daadwerkelijk vliegtuigen aan het spotten was. Ook nu ging hij er helemaal in op. Een kwartier later had hij geen enkel besef meer van plaats en tijd.

Naast hem ging de deur open.

Jens stapte de flat uit met zijn weekendtas over zijn schouder. Hij vroeg zich af hoe het nou verder moest. Hij had al op zoveel plekken gewoond, hij was al zo vaak gevlucht, de gedachte dat hij weer een nieuw bestaan moest opbouwen, maakte hem moedeloos. Hij zou weer onder bruggen moeten slapen, in leegstaande zomerhuisjes, in niet-afgesloten auto's. Hij zou er minstens een halfjaar over doen voordat hij zijn leven weer een beetje op orde had.

Hij keek opzij en zag de jongen op de stoep zitten. Kevin zag hem nu ook en sprong overeind.

'Op welk nummer woont u?' vroeg hij.

Jens wilde niets zeggen en doorlopen, maar de jongen versperde hem de weg. 'Ik moet weten op welk nummer u woont.'

'Waarom?' Jens voelde onwillekeurig zijn spieren aanspannen.

'De buschauffeur wil dat weten.' Terwijl hij het zei haalde de jongen zijn telefoon uit zijn zak en zette hem aan. 'Ik moet hem bellen zodra ik het weet.'

Jens duwde hem ruw opzij en wilde doorlopen.

'Ik beheers krav maga en kungfu,' zei de jongen. 'Ik raad u aan om te blijven staan.'

Jens voelde een enorme woede in zich opwellen. Zonder deze jongen en de buschauffeur, wie dat ook mocht wezen, had hij gewoon hier kunnen blijven. Had hij zijn vogels kunnen houden, zijn twee stoelen, de salontafel en de poef. Waarom hadden ze hem niet gewoon met rust gelaten? Hij draaide zich om en trapte de jongen tegen de grond.

20

De Schaapherderstraat was een niet al te enerverende straat van portiekflats met blauw geschilderde balkonhekken. Albert parkeerde de stadsbus aan de kant van de weg.

'Zal ik met je meegaan?' vroeg het mannetje.

'Je bent al zo ver gekomen, dus waarom ook niet?' zei Albert.

Albert tuurde naar de flats. Hij vroeg zich af hoe hij erachter kon komen waar de Viking woonde. Honderden ramen met lelijke vitrage en lullige balkonnetjes met satellietschotels. Geen voordeuren. Die zaten aan de tuinkant.

'Hé!' schreeuwde het mannetje uit de bus opeens naast hem. 'Moet je dat zien!'

Albert keek in de richting waar hij op wees. 'Christus te paard,' zei hij enkel.

Vanuit een raam ergens in het midden, op tweehoog, vulde de lucht zich met kleur. Groene, gele, blauwe en paarse vlekjes die samen een bonte mengeling vormden.

Het duurde even voordat Albert doorhad wat hij zag: tientallen felgekleurde vogels die naar buiten kwamen gevlogen, als in een Alfred Hitchcock-film. Luid krijsend bleven ze ter hoogte van het raam rondfladderen, alsof ze er nog niet aan toe waren om afscheid te nemen. Opeens schoten ze met z'n allen in een schuine lijn naar boven. Gefixeerd bleef Albert naar de vogels staren, bevroren in het moment. Pas toen ze achter de volgende flat waren verdwenen, besefte hij dat hij al die tijd was vergeten te ademen.

Toen hij weer bij zijn positieven kwam, zei hij tegen het mannetje uit de bus dat hij de politie moest bellen. Zelf rende hij naar de andere kant van de flat, waar de portieken zaten.

Buiten adem kwam hij de hoek om zetten. Hij hoorde geschreeuw, nog voordat hij iets zag. Hij stopte met rennen. Toen zag hij de Viking staan. Hij was op iets aan het intrappen dat op de grond lag. Albert zette een stap dichterbij om het beter te kunnen zien.

Kevin.

Hij voelde een vreemde kramp door zijn lichaam trekken. Zijn mond werd droog. Zijn benen voelden zwaar aan. Hij hoorde Kevin weer schreeuwen.

Hij dacht terug aan de nacht op het balkon en het gehavende gezicht van Naomi Nijssen. De Viking was sterk en meedogenloos. Ook nu was hij als een machine op Kevin aan het intrappen.

Wat sta je nou te staan, lul, zei Albert tegen zichzelf. Dit wilde je toch? Een held zijn? 'Hé!' schreeuwde hij. 'Hé, Viking!'

De Viking keek op. Stopte met schoppen. Albert liep naar hem toe. Het kon hem niet meer schelen of hij de volgende was die te grazen genomen zou worden. Misschien verdiende hij het wel. Misschien wilde hij het zelfs wel.

Hij kwam nog dichterbij. Kevin was er slecht aan toe, zag hij nu. Er kwam bloed uit zijn mond. Kevin keek naar hem op. Het viel hem nu pas op hoe jong de jongen eigenlijk was. Hij had hem hier nooit in mogen betrekken. Wat er ook gebeurde, hij moest Kevin redden.

Er zat nog maar een paar meter tussen hem en de Viking. 'Wat wil jij, oude man?' vroeg de Viking. 'Wil jij ook?'

Albert wist dat dit het moment was om toe te slaan. Hij was nooit een vechter geweest en bijzonder slecht in sport bovendien. Hij zette een stap naar voren en haalde uit met volle kracht. Zijn vuist maaide doelloos door de lucht. Hij wist dat de Viking terug zou slaan en dat hij moest proberen de klap te ontwijken, maar op dat moment werd hij al getroffen. Albert voelde hoe hij in elkaar zakte. En daarna werd alles zwart.

21

Albert werd wakker in het ziekenhuis. Het eerste wat hij zag, was het betraande gezicht van Ans. Snel keek hij de andere kant uit, zodat ze maar niet zou beginnen met praten. Daarna realiseerde hij zich dat er een grote pleister over zijn neus zat geplakt, en een kleine boven zijn rechteroog.

'Albert?' hoorde hij Ans vragen. 'Albert, hoor je me?'

Fuck, dacht hij.

'Albert, je had wel dood kunnen zijn! Als ik eraan denk wat er had kunnen gebeuren... Die schoft heeft je neus kapotgetrapt. Je bent bijna vierentwintig uur buiten bewustzijn geweest!'

Albert stak een hand in de lucht om haar af te kappen. Een hand waar, zo ontdekte hij, een infuus aan zat.

'Zonder jou zouden ze nog steeds geen idee hebben wie de dader was,' ging Ans maar door. 'Hij wilde al naar het buitenland vluchten, wist je dat? Het blijkt dat hij al tientallen meisjes...'

'Houd je kop, mens,' zei Albert. 'Jij moet echt eens leren om je kop te houden.'

Ans pakte zijn hand vast. 'Ik ben zo trots op je.'

'Ja, ja,' bromde Albert. 'Hoe gaat het met Kevin?'

'Kevin is al naar huis. Moet je horen wat er in de krant staat.' Ans rommelde in haar handtasje en haalde een knipsel tevoorschijn. 'Eerst een heel stuk over die Kevin, hoe hij de dader heeft opgespoord. En daarna hoe hij hem heeft uitgeschakeld, terwijl de dader jou bewusteloos aan het schoppen was. Die jongen beoefent twee vechtsporten, wist je dat?'

'Maar Kevin heeft hem niet gevonden,' zei Albert. 'Nou ja, hij heeft hem misschien wel gevonden, maar alleen omdat ik...'

'Laat me nou even uitpraten,' zei Ans. 'Want hier komt het. De laatste zin: "Een passerende buschauffeur waarschuwde de

politie, waardoor de serieverkrachter ingerekend kon worden."'
Ze pakte zijn hand weer vast. 'Je bent echt een held, Albert.'

Albert zuchtte diep. De gedachte om te gaan slapen was opeens erg aanlokkelijk. Hij was kapot. Het was niet die stresserige vermoeidheid waardoor hij juist niet kon slapen, die hij voelde. Nee, hij was gewoon ouderwets moe.

Hij sloot zijn ogen, terwijl Ans doorging met praten. Misschien was het wel prettig dat ze zo aan het ratelen was. Dan kreeg hij tenminste ook niet de kans om na te denken.

'O, je slaapt alweer,' was het laatste wat hij Ans nog hoorde zeggen.

Dat klopt, dacht hij. Ik slaap.

Dank aan

J., voor je verhaal
Raymond, voor het meelezen